Daniela Niebisch

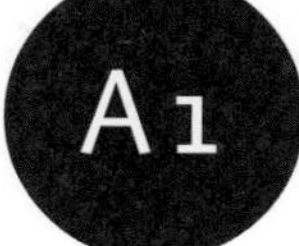

MENSCHEN

Deutsch als Fremdsprache

Vokabeltaschenbuch

Hueber Verlag

Ouellenverzeichnis
Cover: © Getty Images/Image Source
Seite 5: Flaggen © fotolia/createur
Seite 25: Flaggen © fotolia/createur
Seite 32: © MHV-Archiv
Seite 77: © fotolia/createur
Seite 78: © iStockphoto/Pumpal
Seite 79: © iStockphoto/stockcam
Seite 104: © fotolia/Aaron Amat
Seite 124: von links © fotolia/Ketrin; © fotolia/Franz Pfluegl
Seite 137: © iStockphoto/kentarcajuan
Seite 169: © Florian Bachmeier, München
Seite 175: © fotolia/Dirk Schumann

Wörter, die für die Prüfungen der Niveaustufen A1, A2 und B1 nicht verlangt werden, sind kursiv gedruckt. Bei allen Wörtern ist der Wortakzent gekennzeichnet: Ein Punkt (ạ) heißt kurzer Vokal, ein Unterstrich (a̲) heißt langer Vokal. Nomen mit der Angabe (Sg.) verwendet man (meist) nur im Singular. Nomen mit der Angabe (Pl.) verwendet man (meist) nur im Plural. Trennbare Verben sind durch einen Punkt nach der Vorsilbe gekennzeichnet (ab·fahren).

5. 4. 3. | Die letzten Ziffern bezeichnen
2018 17 16 15 14 | Zahl und Jahr des Druckes.
Alle Drucke dieser Auflage können, da unverändert, nebeneinander benutzt werden.
1. Auflage

Umschlaggestaltung: Sieveking · Agentur für Kommunikation, München
Zeichnungen: Michael Mantel, www.michaelmantel.de
Layout: Sieveking · Agentur für Kommunikation, München
Satz: TextMedia, www.textmedia.de
Druck und Bindung: Firmengruppe APPL, aprinta druck, Wemding
Printed in Germany
ISBN 978-3-19-731901-8

Art. 530_09676_001_03

Hallo! Ich bin Nicole ...

1

1

deutsch	Welche deutschen Namen kennen Sie?
heißen	Wie heißen Sie?
hören	Hören Sie das Lied.
kennen	Welche deutschen Namen kennen Sie?
das Lied, -er	Hören Sie das Lied.
der Name, -n	Welche deutschen Namen kennen Sie?
noch	Welches Lied kennen Sie noch?
Sie	Hören Sie!
welch-	Welche deutschen Namen kennen Sie?
wie	Wie heißt das Lied?

2

an·kreuzen	Kreuzen Sie an.
die (Pl.)	Notieren Sie die Namen.
du	Wer bist du?
ein/e	Zeichnen Sie einen Sitzplan.
hallo	Hallo, ich bin ...
ich	Ich heiße Paco.

das Kettenspiel, -e	Kettenspiel: Sprechen Sie.
meist-	Wer weiß die meisten Namen?
notieren	Notieren Sie die Namen.
sein (Verb)	Ich bin Nicole.
der Sitzplan, ¨-e	Zeichnen Sie einen Sitzplan.
sprechen	Sprechen Sie.
und	Hören Sie und kreuzen Sie an.
wer	Wer bist du?
wissen	Wer weiß die Namen?
zeichnen	Zeichnen Sie.

BILDLEXIKON

auf Wiedersehen	Auf Wiedersehen, Herr Rodriguez.
guten Abend	Guten Abend, Frau Wachter.
gute Nacht	Gute Nacht, Nicole.
guten Morgen	Guten Morgen, Paco.
guten Tag	Guten Tag, Frau Wachter.

3

ergänzen	Ergänzen Sie.
das Gespräch, -e	Hören Sie das Gespräch.

mit	Vergleichen Sie mit a.
nein	Nein, ich komme aus Mexiko.
sagen	Wer sagt das?
vergleichen	Vergleichen Sie.
was	Wer sagt was?
weiter·hören	Hören Sie weiter.
zu·ordnen	Ordnen Sie zu.

Hund
Katze
Maus

LÄNDER

(das) Ägypten
(das) Mazedonien
(das) Deutschland
(das) Mexiko
(das) Frankreich
(das) Österreich
(das) Großbritannien
(die) Schweiz
(das) Indien
(das) Spanien
(der) Iran
(die) Türkei

4

die (Sg.)	● die Musik
die Musik (Sg.)	Woher kommt die Musik?

5

auch	Und wie geht's Ihnen? – Auch gut.	
danke	Wie geht's? – Danke, gut.	
die Frau, -en	Hallo, Frau Wachter.	
gut	Wie geht's? – Gut, danke.	
der Herr, -en	Auf Wiedersehen, Herr Rodriguez.	
Ihnen	Wie geht's Ihnen?	
der Tag, -e	Guten Tag.	

6

antworten	Fragen und antworten Sie.	
arbeiten	Arbeiten Sie zu viert.	
auf	Arbeiten Sie auf Seite 73.	
bekannt	Angela Merkel ist eine bekannte Persönlichkeit.	
der Familienname, -n	Familienname: Rodriguez, Wachter …	
fehlend	*Ergänzen Sie die fehlenden Informationen.*	
formell	*formell: Sie*	
Ihr/e	Ihr Partner arbeitet auf Seite 77.	
die Information, -en	Ergänzen Sie die Informationen.	
informell	*informell: du*	

ja	Er kommt aus Mexiko, hm? – Ja.	
noch einmal	Hören Sie noch einmal.	
oder	*Du* oder *Sie*?	
der Partner, - / die Partnerin, -nen	Ihre Partnerin arbeitet auf Seite 77.	
die Persönlichkeit, -en	*bekannte Persönlichkeiten: Angela Merkel …*	
die Seite, -n	Arbeiten Sie auf Seite 73.	
sie (Sg.)	Das ist Nicole. Sie kommt aus Österreich.	
üben	Üben Sie: *du* oder *Sie*?	
der Vorname, -n	Vorname: Nicole, Paco, Winfried …	
würfeln	*Würfeln Sie.*	

dir	Wie geht es dir?	
nicht	Nicht so gut.	
die Person, -en	Wer ist die Person?	
sehr	Wie geht's? – Sehr gut.	
so	Wie geht's? – Nicht so gut.	

TIPP

Lernen Sie Fragen und Antworten zusammen.

Wie geht es dir? – Danke, gut.
Wie heißen Sie? – Ich bin …

8

die Konferenz, -en	Sie sind auf einer Konferenz.	
das Namensschild, -er	Schreiben Sie Namensschilder.	
die Party, -s	Sie sind auf einer Party.	
schreiben	Schreiben Sie Namensschilder und sprechen Sie.	

9

bitte	Wie bitte?	
buchstabieren	Buchstabieren Sie bitte.	
diktieren	*Diktieren Sie Ihren Namen.*	
mein/e	Mein Name ist …	
nach·sprechen	*Sprechen Sie nach.*	
der Umlaut, -e	*Ä ist ein Umlaut.*	

10

der Abschied, -e	Abschied: Tschüs! Gute Nacht!	
die Begrüßung (Sg.)	*Begrüßung: Hallo! Guten Tag!*	
das Bildlexikon, -lexika	*Hören Sie die Wendungen aus dem Bildlexikon.*	
der Abend, -e	Guten Abend.	
der Morgen, -	Guten Morgen.	

die Nacht, ¨-e	Gute Nacht.	
die Wendung, -en	*Hören Sie die Wendungen.*	

11

das Ende	Verabschieden Sie sich am Ende.	
die Stunde, -n	Die erste Stunde im Kurs.	

GRAMMATIK & KOMMUNIKATION

die Aussage, -n	Aussage: Ich heiße Paco.	
die Herkunft, ¨-e	*Herkunft: Woher kommen Sie?*	
die Kommunikation (Sg.)	Sprechen = Kommunikation	
die Position, -en	*Das Verb ist auf Position 2.*	
das Sprechtraining, -s	Sprechtraining: Sprechen Sie das Alphabet nach.	
das Verb, -en	*Verb: kommen, heißen, sein*	
die Wiederholung, -en	*um Wiederholung bitten: Wie bitte?*	
bitten um	um Wiederholung bitten: Wie bitte?	

LERNZIELE

das Alphabet, -e	das Alphabet: A, B, C …	
andere	Stellen Sie andere Personen vor.	
aus	Ich komme aus Österreich.	

1

das Befinden (Sg.)	*Fragen Sie nach dem Befinden.*	
begrüßen (sich)	sich begrüßen: Hallo. – Guten Tag.	
das (Artikel)	● das Alphabet, ● das Land …	
das: das ist …	Das ist Paco.	
er	Er kommt aus Mexiko.	
fragen	Fragen Sie.	
gehen	Wie geht's?	
die Grammatik, -en	*Grammatik: Konjugation, Fragen …*	
kommen (aus)	Du kommst aus Deutschland, hm?	
die Konjugation, -en	*Konjugation Singular: ich komme, du kommst, er/sie kommt, Sie kommen*	
das Land, ¨-er	Spanien ist ein Land.	
nach	Fragen Sie nach dem Befinden.	
der Singular (Sg.)	*Singular: eine Person, ein Partner, ich, du …*	
tschüs	Sagen Sie: *tschüs* oder *auf Wiedersehen!*	
verabschieden (sich)	Verabschieden Sie sich mit *tschüs*.	
vorstellen (sich/andere)	Sagen Sie Ihren Namen. = Stellen Sie sich vor.	
die W-Frage, -n	*W-Frage: Wer? Woher? Wie?*	
woher	Woher kommst du?	
das Wortfeld, -er	*Wortfeld: Länder*	

Ich bin Journalistin.

1

an·sehen	Sehen Sie die Visitenkarten an.
der Architekt, -en	*Markus Bäuerlein ist Architekt.*
der Diplom-Informatiker, -	*Ich bin Diplom-Informatiker.*
Dr. (Doktor)	Dr. Barbara Meinhardt-Bäuerlein
das Foto, -s	Sehen Sie die Fotos an.
glauben	Ich glaube, das ist Markus Bäuerlein.
das Handy, -s	Handy: 0163-909865651
der Hörtext, -e	*Hören Sie den Hörtext.*
der IT-Spezialist, -en	*Ich bin IT-Spezialist.*
die Mail, -s	Mail: mb@x-media.de
meinen	Was meinen Sie? Wer ist wer?
das Telefon, -e	Telefon: 030-253812120

BILDLEXIKON

der Arzt, ⸚e / die Ärztin, -nen	Sie ist Ärztin.

2

der Friseur, -e / die Friseurin, -nen	Ich mache eine Ausbildung als Friseurin.	
der Ingenieur, -e / die Ingenieurin, -nen	Was macht ein Ingenieur?	
der Journalist, -en / die Journalistin, -nen	Ich arbeite als Journalistin bei X-Media.	
der Kellner, - / die Kellnerin, -nen	Ich habe einen Job als Kellnerin.	
der Lehrer, - / die Lehrerin, -nen	Er ist Lehrer von Beruf.	
der Mechatroniker, - / die Mechatronikerin, -nen	*Ich arbeite als Mechatroniker.*	
der Schauspieler, - / die Schauspielerin, -nen	Er arbeitet als Schauspieler.	
der Sekretär, -e / die Sekretärin, -nen	Ich bin Sekretärin.	
der Student, -en / die Studentin, -nen	Nadine ist Studentin.	
der Verkäufer, - / die Verkäuferin, -nen	Er hat einen Job als Verkäufer.	

2

als	Ich arbeite als Journalistin.	

die Ausbildung, -en	Ich mache eine Ausbildung als Friseur.
bei	Ich arbeite bei X-Media.
beruflich	Was machen Sie beruflich?
finden	Hilfe finden Sie im Bildlexikon.
die Hilfe, -n	Hilfe finden Sie im Wörterbuch.
der Historiker, - / die Historikerin, -nen	*Ich bin Historikerin.*
im	Hilfe finden Sie im Wörterbuch.
der Job, -s	Ich habe einen Job als Kellnerin.
das Kärtchen, -	*Schreiben Sie Kärtchen.*
der Kurs, -e	Suchen Sie im Kurs.
machen	Was machen Sie beruflich?
das Plakat, -e	Machen Sie ein Plakat.
das Praktikum, Praktika	Ich mache ein Praktikum bei X-Media.
die Schule, -n	Schule: Goethe-Gymnasium
der Schüler, - / die Schülerin, -nen	Ich bin Schüler.
der Single, -s	*Ich bin Single.*
die Stelle, -n	Stelle: Journalistin bei X-Media
suchen	Suchen Sie im Kurs.
die Universität, -en	Universität: Sorbonne in Paris

2

von — Was sind Sie von Beruf? ____________________

das Wörterbuch, ¨-er — Hilfe finden Sie im Wörterbuch. ____________________

BERUFE

der Arzt, ¨-e / die Ärztin, -nen

der Friseur, -e / die Friseurin, -nen

der Ingenieur, -e / die Ingenieurin, -nen

der Journalist, -en / die Journalistin, -nen

der Kellner, - / die Kellnerin, -nen

der Lehrer, - / die Lehrerin, -nen

der Sekretär, -e / die Sekretärin, -nen

der Schauspieler, - / die Schauspielerin, -nen

der Verkäufer, - / die Verkäuferin, -nen

3

aber	Wir sind nicht verheiratet, aber Peter und ich leben zusammen.	
allein	Ich lebe allein.	
etwas	Haben Sie etwas gemeinsam?	
gemeinsam	Was haben Sven und Nadine gemeinsam?	
geschieden	Wir sind geschieden.	
ihr	Wo wohnt ihr?	
in	Sven und Nadine wohnen in Berlin.	
das Interview, -s	Hören Sie das Interview.	
jemand	Hat jemand etwas mit Ihnen gemeinsam?	
jetzt	Fragen Sie jetzt die anderen Paare.	
kein/e	Sie haben keine Kinder.	
das Kind, -er	Wir haben ein Kind.	
okay	Wir sind Kellner von Beruf, okay?	
das Paar, -e	Fragen Sie die anderen Paare im Kurs.	
richtig	Was ist richtig? Kreuzen Sie an.	
sie (Pl.)	Sie leben zusammen.	
die Stadt, ¨-e	In welcher Stadt wohnen Sie?	
überlegen	Überlegen Sie mit Ihrem Partner.	

wir	Wir sind geschieden.	
wohnen	Sie wohnen in Berlin.	
zusammen·leben	Peter und ich leben zusammen.	

4

falsch	2 – 4 – 6 – … 10? – Falsch.	
fehlen	Welche Zahl fehlt?	
das Rätsel, -	Machen Sie Rätsel.	
die Variante, -n	*Machen Sie Zahlenreihen. Variante: Machen Sie Rätsel.*	
von … bis	Zahlen von 0 bis 100	
die Zahlenreihe, -n	Machen Sie Zahlenreihen.	

5

alt	Wie alt bist du?	
das Alter, -	Alter: Ich bin 34.	
der Arbeitgeber, -	Barbara arbeitet bei X-Media. Das ist der Arbeitgeber.	
das Echo, -s	*Spielen Sie „Echo“.*	
das Jahr, -e	Ich bin auch 34 Jahre alt.	
spielen	Spielen Sie „Echo“.	

super	Super! Ich bin auch 34.
wo	Wo wohnen Sven und Nadine?
der Wohnort, -e	Wohnort: Berlin

6

ähnlich	Machen Sie ähnliche Aufgaben.
arbeitslos	Ist Helga Stiemer arbeitslos?
die Aufgabe, -n	Machen Sie zu zweit ähnliche Aufgaben.
die Krankenschwester, -n	Sonja Wilkens ist Krankenschwester von Beruf.
(das) Norwegen	*Kommen Sie aus Norwegen?*
(das) Portugal	*Kommt Carlos aus Portugal?*
der Rentner, - / die Rentnerin, -nen	Helga Stiemer ist Rentnerin.
(das) Schweden	*Bo Martinson kommt aus Schweden.*
studieren	Er studiert in Kiel.
vor·lesen	Ihre Partnerin liest Ihnen drei Texte vor.
das Wort, ¨er	Verstehen Sie ein Wort nicht?
verstehen	Verstehen Sie ein Wort nicht? Hilfe finden Sie im Wörterbuch.

zusammen·arbeiten	Arbeiten Sie mit einem anderen Paar zusammen.

(das) Dänemark	*Mette kommt aus Dänemark.*
markieren	Markieren Sie die Verben.
selbst	Schreiben Sie einen Text über sich selbst.

GRAMMATIK & KOMMUNIKATION

der	• der Journalist, • der Arzt
leben (in)	Ich lebe in Köln.
die Präposition, -en	*Präpositionen: als, bei, in*
das Schreibtraining, -s	*Schreibtraining: Schreiben Sie einen Text über sich.*

TIPP

Schreiben Sie neue Wörter und Beispielsätze auf Kärtchen.

LERNZIELE

der Beruf, -e	über den Beruf sprechen: Ich bin Journalistin.	
der Familienstand (Sg.)	Der Familienstand? Ich bin verheiratet.	
haben	Ich habe einen Job als Kellnerin.	
das Internet-Profil, -e	*Ergänzen Sie Ihr Internet-Profil.*	
kurz	Schreiben Sie einen kurzen Text.	
lesen	Lesen Sie die Visitenkarten.	
die Negation, -en	*Negation mit „nicht": Ich bin nicht verheiratet.*	
Persönliches	*über Persönliches sprechen: Ich bin verheiratet.*	
der Plural (Sg.)	*Singular: ich bin, Plural: wir sind*	
sich	Schreiben Sie einen Text über sich.	
der Steckbrief, -e	*Schreiben Sie einen Steckbrief.*	
der Text, -e	Schreiben Sie einen Text.	
über	Sprechen Sie über den Beruf.	
verheiratet	Ich bin verheiratet.	
die Visitenkarte, -n	Sehen Sie die Visitenkarten an.	
die Wortbildung, -en	*Wortbildung mit -in: Journalist, Journalistin*	
die Zahl, -en	Zahlen: 1, 2, 3 …	

Das ist meine Mutter. 3

1

das Bild, -er	Die Frau auf dem Bild ist Herberts Frau.	

2

die Physik (Sg.)	Mark studiert Physik.	

BILDLEXIKON

der Bruder, ¨	Wie heißt dein Bruder?	
die (Ehe)Frau, -en	Ist das deine Frau?	
der (Ehe)Mann, ¨er	Wer ist das? Dein Mann?	
der Enkel, - / die Enkelin, -nen	Das ist mein Enkel. Er heißt Mark.	
die Geschwister (Pl.)	Hast du Geschwister?	
die Großeltern (Pl.)	Meine Großeltern sind Schauspieler.	
die Großmutter, ¨	Meine Großmutter heißt Helga.	
der Großvater, ¨	Das ist nicht mein Großvater.	
die Mutter, ¨	Das ist nicht deine Mutter!	

die Oma, -s	Ist da deine Frau? – Nein. Das ist meine Oma.	
die Schwester, -n	Ist Ewa deine Schwester?	
der Sohn, ¨-e	Mein Sohn heißt Bernd.	
die Tochter, ¨	Ist das deine Tochter?	
der Vater, ¨	Was macht dein Vater beruflich?	

3

bitte	Elvira! Bitte!	
der Dialog, -e	*Spielen Sie ähnliche Dialoge.*	
die Tabelle, -n	Ergänzen Sie die Tabelle.	
dann	Lesen Sie und ergänzen Sie dann die Tabelle.	

4

die Antwort, -en	Ist die Antwort richtig?	
auf (lokal)	Legen Sie die Karten auf einen Stapel.	
beantworten	Person A zieht die Karte und beantwortet die Frage.	
behalten	Ist die Antwort richtig? Person A behält die Karte.	
die Frage, -n	Schreiben Sie W-Fragen zu den Personen.	

gewinnen	Gewonnen hat die Person mit den meisten Karten.	
die Karte, -n	Schreiben Sie Fragen zu den Personen auf Karten.	
legen	Legen Sie die Karten auf einen Stapel.	
mischen	Mischen Sie die Karten.	
die Reihe, -n: an der Reihe sein	Jetzt ist Person B an der Reihe.	
der Stapel, -	*Die Karte kommt unter den Stapel.*	
unter	Die Karte kommt unter den Stapel.	
wieder	Legen Sie die Karte wieder unter den Stapel.	
ziehen	Person A zieht eine Karte.	

5

die Angabe, -n	Ihr Partner sucht die falschen Angaben.	
genau	Dein Bruder ist nicht verheiratet, oder? – Ja, genau.	
oder?	Du bist nicht verheiratet, oder?	

6

das Familienmitglied, -er	Wie heißen Marks Familienmitglieder?	

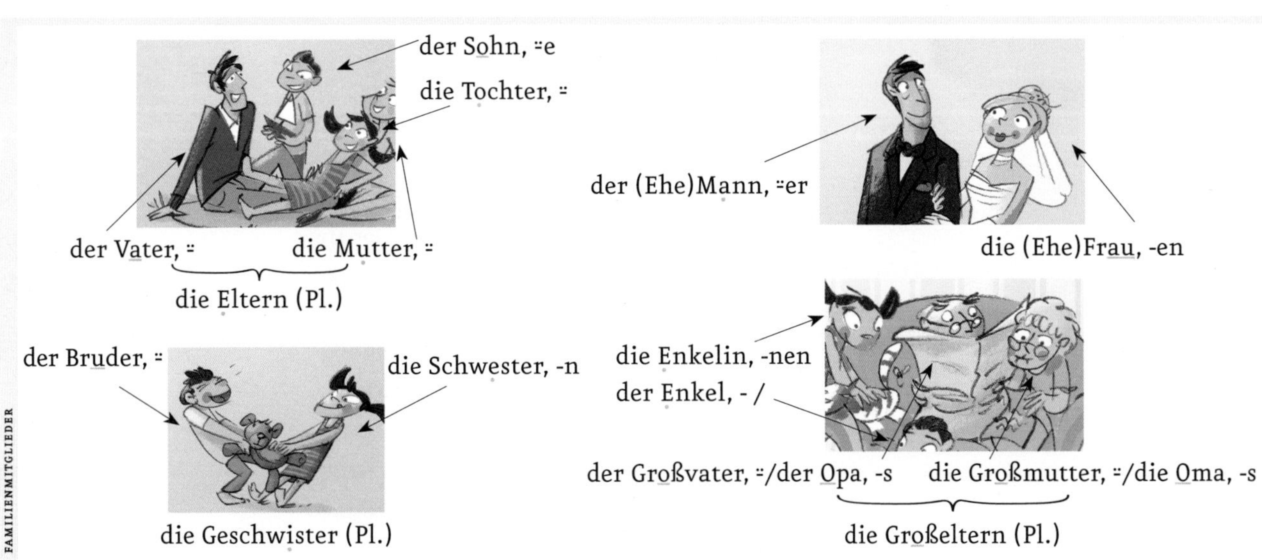

7

der Freund, -e / die Freundin, -nen	Ewa ist meine Freundin.
der Kollege, -n / die Kollegin, -nen	Wer ist das? Dein Kollege?
raten	Schreiben Sie Namen. Die anderen raten: Wer ist das?
der Zettel, -	Schreiben Sie Namen auf einen Zettel.

8

die Familiengeschichte, -n	Wir sprechen über Familiengeschichten.	
interviewen	*Interviewen Sie Ihren Partner.*	
die Notiz, -en	Machen Sie Notizen.	

9

die Auflösung, -en	*Die Auflösung finden Sie auf Seite …*	
ein bisschen	Ich spreche ein bisschen Deutsch.	
farbig	Markieren Sie farbig.	
das Gebiet, -e	Markieren Sie die Gebiete farbig.	
die Kursstatistik, -en	*Machen Sie eine Kursstatistik über die Sprachkenntnisse im Kurs.*	
das Mini-Projekt, -e	*Wir machen ein Mini-Projekt: eine Kursstatistik über Sprachkenntnisse.*	
das Rätoromanisch	*Wir sprechen Rätoromanisch.*	
viele	In der Schweiz spricht man viele Sprachen.	
wie viel(e)	Wie viele im Kurs sprechen Englisch?	

Ich spreche ...

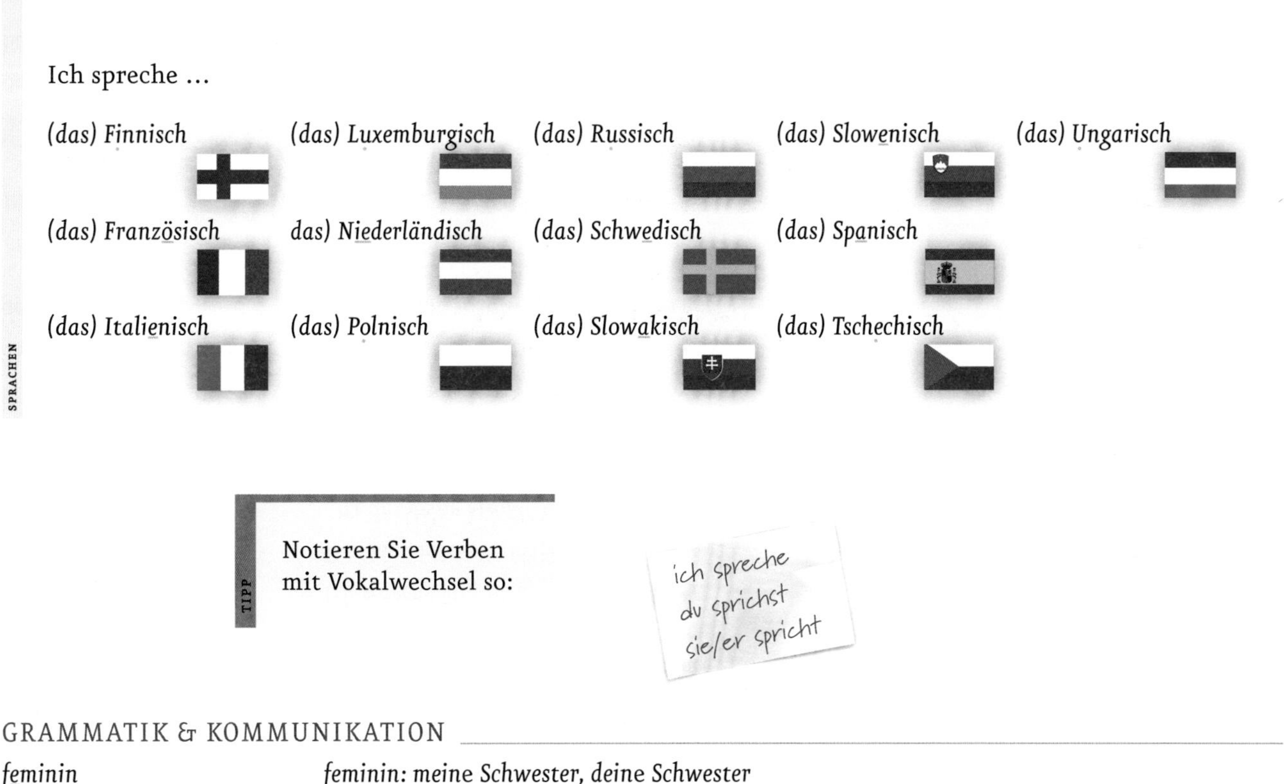

TIPP

Notieren Sie Verben mit Vokalwechsel so:

ich spreche
du sprichst
sie/er spricht

GRAMMATIK & KOMMUNIKATION

feminin	*feminin: meine Schwester, deine Schwester*
maskulin	*maskulin: mein Bruder, dein Bruder*

LERNZIELE

dein/e	Ist das deine Frau?	
doch	Ist das nicht deine Frau? – Doch.	
der Drehbuchausschnitt, -e	*Lesen Sie den Drehbuchausschnitt.*	
die Eltern (Pl.)	Das sind meine Eltern.	
(das) Englisch	*Ich spreche Englisch.*	
die Familie, -n	Das ist meine Familie.	
die Ja-/Nein-Frage, -n	*„Ist das deine Frau?" – Das ist eine Ja-/Nein-Frage.*	
der Possessivartikel, -	*Possessivartikel: mein, dein …*	
die Sprache, -n	Deutsch ist eine Sprache.	
die Sprachkenntnisse (Pl.)	Ich habe gute Sprachkenntnisse.	
der Vokalwechsel, -	*Ein Verb mit Vokalwechsel ist „sprechen": du sprichst, er/sie spricht*	

MODUL-PLUS LESEMAGAZIN

1

das Baby, -s	Das Baby ist meine Nichte Eliza.	
bald	Florian studiert, aber er ist bald fertig.	

die Biochemie (Sg.)	*Paco studiert Biochemie.*
fertig (sein)	Florian ist bald fertig und geht dann zurück nach Österreich.
die Fotografie, -n	Mein Hobby ist Fotografie.
die Fremdsprache, -n	Florian spricht vier Fremdsprachen.
die Heimatstadt, ¨-e	Meine Heimatstadt ist Wien.
das Hobby, -s	Meine Hobbys sind Skaten und Fotografie.
kochen	Kochen ist mein Hobby.
korrigieren	Korrigieren Sie die Sätze.
das Lesemagazin, -e	*Im Lesemagazin lesen Sie Texte.*
die Nichte, -n	Eliza ist meine Nichte.
perfekt	Florian spricht perfekt Englisch.
der Satz, ¨-e	Korrigieren Sie die Sätze.
singen	Wir singen ein Lied.
das Skaten	*Pacos Hobby ist Skaten.*
das Sternzeichen, -	*Widder und Waage sind Sternzeichen.*
(die) USA	*Miguel lebt in den USA.*
die Waage, -n	*Mein Sternzeichen ist Waage.*
der Widder, -	*Mein Sternzeichen ist Widder.*
zurück·gehen	Mein Bruder geht bald nach Österreich zurück.

3

zurzeit	Nicole kommt aus Wien, zurzeit lebt sie aber in München.

MODUL-PLUS FILM-STATIONEN

1

auf Wiederschauen	*In Österreich sagt man „auf Wiederschauen".*
der Clip, -s	*Wir sehen einen Film-Clip im Kurs.*
der Film, -e	Sehen Sie den Film.
die Film-Station, -en	*drei Film-Clips, drei Film-Stationen*
Grüezi (CH)	*Grüezi, hallo, guten Tag!*
Grüß Gott (A, D-Süd)	*Grüß Gott. Ich heiße Tina.*
Moin, moin (D-Nord)	*Moin, moin, Heiner! – Moin.*
sehen	Wir sehen einen Film im Kurs.
Servus	*„Servus" heißt „hallo" und „tschüs".*
Uf Wiederluege mitenand (CH)	*„Uf Wiederluege mitenand" sagt man zum Abschied.*

2

die Reportage, -n	Sehen Sie die Reportage.

3

der Amerikaner, - / die Amerikanerin, -nen	*Aileen ist Amerikanerin.*	
die Foto-Story, -s	*Sehen Sie die Foto-Story.*	
hier	Meine Mutter lebt hier in Wien.	
schon	Mein Vater ist alt, er ist schon 62.	

MODUL-PLUS PROJEKT LANDESKUNDE

1

am (+ Datum)	Sie ist am 1. 6. 1973 geboren.	
der Chemiefacharbeiter, -	*Er ist Chemiefacharbeiter von Beruf.*	
geboren sein	Heidi Klum ist in Bergisch Gladbach geboren.	
die Landeskunde (Sg.)	*Im Kurs lesen wir Informationen über Deutschland: Landeskunde.*	
der Manager, - / die Managerin, -nen	*Er arbeitet als Manager.*	
mehr: nicht mehr	Sie arbeitet nicht mehr.	
das Model, -s	*Heidi Klum ist Model.*	

3

der Moderator, -en / die Moderatorin, -nen	*Sie arbeitet auch als Moderatorin.*
moderieren	*Sie moderiert eine Show.*
das Projekt, -e	Wir machen ein Projekt im Kurs
der Sänger, - / die Sängerin, -nen	Ich bin Sänger.
seit	*Seit 2005 sind sie verheiratet.*
die Show, -s	*Heidi Klum moderiert eine Show.*
von	Heidi Klum ist die Tochter von Erna und Günther Klum.

2

deutschsprachig	*Wählen Sie eine Person aus den deutschsprachigen Ländern.*
das Ergebnis, -se	Präsentieren Sie Ihre Ergebnisse im Kurs.
das Internet (Sg.)	Suchen Sie Informationen im Internet.
das Poster, -	Machen Sie ein Poster.
präsentieren	Präsentieren Sie das Poster.
der/die Prominente, -n	*Heidi Klum ist eine Prominente.*
der Stammbaum, ¨-e	*Zeichnen Sie einen Stammbaum.*

wählen	Wählen Sie eine bekannte Person aus Deutschland.	
zu (etwas suchen zu)	Suchen Sie Informationen zu Familie und Beruf.	

MODUL-PLUS AUSKLANG

1

der Ausklang, ¨-e	*Am Ende ist der Ausklang.*	

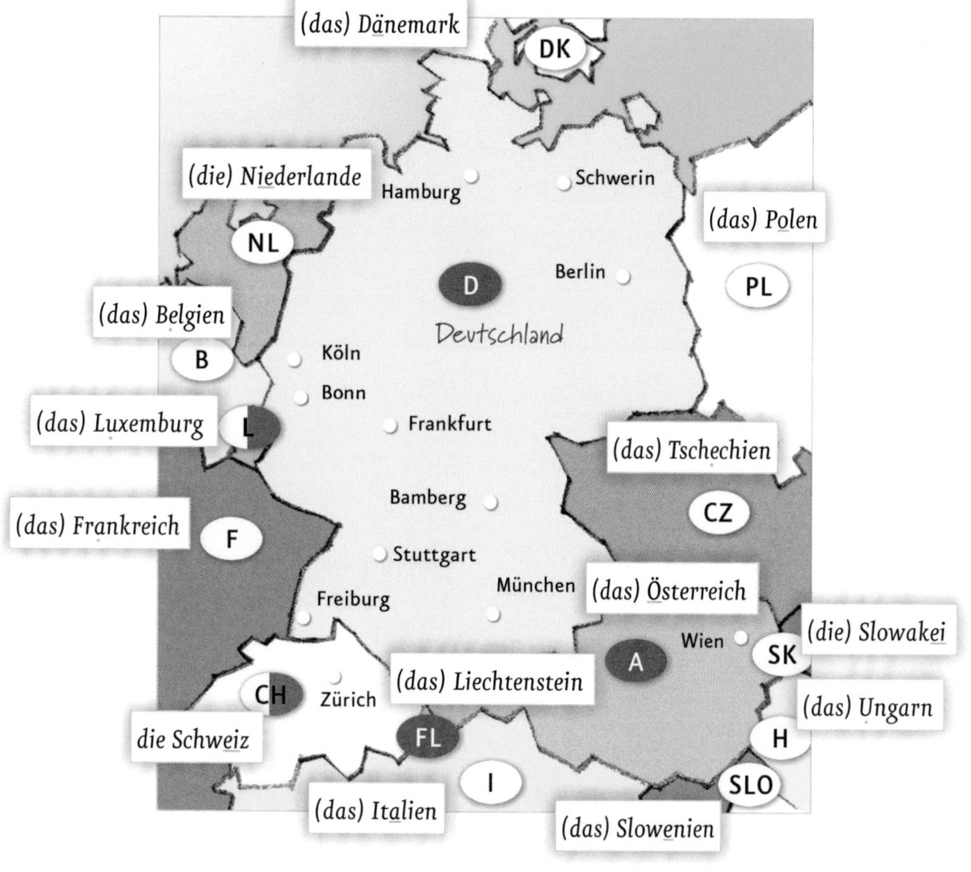
(das) Dänemark
DK
(die) Niederlande
Hamburg
Schwerin
(das) Polen
NL
D
Berlin
PL
(das) Belgien
Deutschland
B
Köln
Bonn
(das) Luxemburg
L
Frankfurt
(das) Tschechien
Bamberg
CZ
(das) Frankreich
F
Stuttgart
München
(das) Österreich
Freiburg
Wien
(die) Slowakei
SK
A
CH
Zürich
(das) Liechtenstein
(das) Ungarn
die Schweiz
FL
H
I
SLO
(das) Italien
(das) Slowenien

2

der Buchstabe, -n	A, K, L sind Buchstaben.	
erinnern (sich) an	Erinnern Sie sich an Sven Henkenjohann?	
erste	Erinnern Sie sich an die Personen in den ersten Lektionen?	
die Lektion, -en	*Wir machen jetzt bald Lektion 4.*	
die Lösung, -en	Wie heißt die Stadt? Die Lösung ist …	
der Mensch, -en	Wer sind die Menschen in *Menschen*?	
der Nachname, -n	*Henkenjohann ist ein Nachname.*	
passend	*Suchen Sie die passenden Buchstaben.*	

3

der Ländername, -n	Ergänzen Sie die Ländernamen auf der Karte.	

Der Tisch ist schön! 4

1

zeigen	Zeigen Sie die Möbel auf dem Foto.	

2

groß	Der Tisch ist zu groß.	
klein	Das Bett ist zu klein.	
modern	Die Lampe ist modern.	
praktisch	Der Tisch ist praktisch.	
schlecht	Das Bett ist nicht schlecht.	
zu	*Der Tisch ist zu groß.*	

BILDLEXIKON

das Bett, -en	Das Bett ist zu kurz.	
das Bild, -er	Das Bild ist okay.	
die Couch, -s	Die Couch ist teuer.	
der Tisch, -e	Der Tisch ist schön.	
die Lampe, -n	Die Lampe ist wirklich sehr schön und nicht teuer.	

der Schrank, ¨-e	Was kostet der Schrank?	
der Sessel, -	Was kostet der Sessel?	
das Sofa, -s	Das Sofa ist nicht modern.	
der Stuhl, ¨-e	Der Stuhl ist zu klein.	
der Teppich, -e	Was kostet der Teppich?	

3

aber (Modalpartikel)	Das ist aber teuer!	
billig	119 Euro? Das ist billig.	
brauchen	Brauchen Sie Hilfe?	

4

der Designer, -	*Der Designer heißt Enzo Carotti.*	
der Euro, -s	Der Tisch kostet 1478 Euro.	
günstig	Die Lampe ist sehr günstig.	
nur	Sie kostet nur 119 Euro.	
ordnen	Ordnen Sie die Sätze.	
passen	Was passt?	
das Sonderangebot, -e	Die Lampe ist ein Sonderangebot.	
teuer	1478 Euro? Das ist aber teuer!	
wirklich	Die Lampe ist wirklich sehr schön.	

4

der Artikeltanz, ¨-e	*Artikeltanz: Hören Sie die Nomen und tanzen Sie.*	
das Nomen, -	*Hören Sie die Nomen und tanzen Sie.*	
tanzen	Tanzen Sie!	

TIPP

Notieren Sie Nomen immer mit dem Artikel und mit Farbe.

● der Tisch.

● die Lampe.

● das Sofa.

5

die Zahlenschlange, -n	*Ergänzen Sie die Zahlenschlange.*
die Million, -en	*eine Million in Zahlen: 1 000 000*

6

der Cent, -s	100 Cent sind 1 Euro.
das Möbelhaus, ¨-er	Sie haben ein Möbelhaus.

7

das Puzzle, -s	*Setzen Sie das Puzzle zusammen.*
zusammen·setzen	Setzen Sie das Puzzle zusammen.

8

lang(e)	Das Bett ist zu lang.
leicht (einfach)	Die Aufgabe ist leicht.
das Problem, -e	Was ist das Problem?
schwer	Die Aufgabe ist zu schwer.

9

hässlich	Ich finde Zimmer A hässlich.
das Hotelzimmer, -	Wie finden Sie die Hotelzimmer?

nicht mehr	Der Schrank ist nicht mehr modern.	
das Zimmer, -	Ich finde Zimmer A schön.	

10

der Kaffee, -s	Kaffee? – Nein, danke.	
machen	Das macht dann 9 Euro 95.	
die Muttersprache, -n	Übersetzen Sie in Ihre Muttersprache.	
übersetzen	Übersetzen Sie die Gespräche.	
vielen Dank	Vielen Dank! – Bitte.	

GRAMMATIK & KOMMUNIKATION

neutral	*neutral: (● das Bett ● das Bild …)*	
der Nominativ, -e	*Nominativ Singular:*	
	● maskulin (der Tisch),	
	● neutral (das Bett),	
	● feminin (die Lampe)	

LERNZIELE

das Adjektiv, -e	*Adjektive: schön, groß, modern*	
an·bieten	Hilfe anbieten: Brauchen Sie Hilfe?	

das Beratungsgespräch, -e	Beratungsgespräch: Brauchen Sie Hilfe? – Ja, bitte.	
bewerten	*Bewerten Sie den Tisch! – Er ist schön.*	
der definite Artikel, -	● *der,* ● *das,* ● *die*	
denn (Modalpartikel)	Wie viel kostet denn der Tisch?	
es	das Bett: ● Es kostet …	
kosten	Wie viel kostet das Bett?	
die Möbel (Pl.)	Wie heißen die Möbel auf Deutsch?	
nennen	Nennen Sie die Wörter auf Deutsch.	
das Personalpronomen, -	● *er,* ● *es,* ● *sie*	
der Preis, -e	Fragen Sie nach dem Preis.	
schön	Das finde ich schön.	

Was ist das? – Das ist ein F. 5

1

der Augenarzt, ¨-e	Frau Paulig ist beim Augenarzt.

BILDLEXIKON

der Bleistift, -e	Was kostet der Bleistift?
die Brille, -n	Die Brille ist rot.
das Buch, ¨-er	Wie heißt das Buch?
das Feuerzeug, -e	Das ist ein Feuerzeug.
die Flasche, -n	Und das ist eine Flasche. Sie ist grün.
der Fotoapparat, -e	Was ist das? – Ein Fotoapparat.
die Kette, -n	Das ist eine Kette.
der Kugelschreiber, -	Was kostet der Kugelschreiber?
der Schlüssel, -	Der Schlüssel ist aus Metall.
die Tasche, -n	Die Tasche ist blau.

FARBEN

blau, orange, gelb, weiß, (dunkel-)grün, braun, rot, grün, schwarz

2

an (lokal)	Zeichnen Sie Gegenstände an die Tafel.	
der Comic, -s	*Lesen Sie den Comic.*	
die Tafel, -n	Schreiben Sie an die Tafel.	
wie (so wie)	Spielen Sie wie im Comic.	

3

aus	Die Brille ist aus Kunststoff.	
bekommen	Sie bekommen das Modell in drei verschiedenen Farben.	
das Brillenmodell, -e	Optik Eicher hat mehr als 2000 Brillenmodelle.	
die Designer-Brille, -n	*Unsere Frühjahrs-Aktion: Designer-Brillen zu Super-Preisen*	
das Designer-Modell, -e	*Das Designer-Modell „1-4-you“ ist aus Kunststoff.*	
eckig	Eckig ist modern! ☐	
elegant	*Unsere Brillen sind sehr elegant.*	
extrem	*Die Brille „ECO7“ ist extrem sportlich.*	
die Frühjahrs-Aktion, -en	*Unsere Frühjahrs-Aktion: günstige Brillen.*	

5

das Frühlings-Angebot, -e	Das Optik-Eicher-Frühlings-Angebot: nur 179 Euro.	
für	Optik Eicher hat viele Brillenmodelle für Sie auf Lager.	
der Gegenstand, ¨-e	Zeichnen Sie Gegenstände aus dem Bildlexikon.	
das Gestell, -e	*Das Gestell ist rund.*	
das Glas, ¨-er	Flaschen sind aus Glas.	
das Holz, ¨-er	Der Tisch ist aus Holz.	
immer	Wir haben immer viele Brillenmodelle auf Lager.	
der Klassiker, -	Sie ist ein Klassiker unter den Designer-Brillen.	
die Kombination, -en	*Sie bekommen die Brille in der Kombination braun-orange.*	
der Kunststoff, -e	Das Designer-Modell ist aus Kunststoff.	
das Lager, -	Optik Eicher hat viele Brillenmodelle auf Lager.	
leicht (Gewicht)	Eine Brille aus Kunstoff ist sehr leicht.	
mehr als	Optik Eicher hat mehr als 2000 Brillenmodelle für Sie.	
das Metall, -e	Die Brille von Elisabetta Caratti ist aus Metall.	

modisch	Wir verkaufen die Brille in sechs modischen Farben.	
ob	Ob aus Kunststoff oder Metall: alle Brillen nur 179 Euro.	
ohne	Die Brille kostet 129 Euro ohne Gläser.	
die Optik (Sg.)	*Optik Eicher hat eine Frühjahrs-Aktion.*	
das Papier, -e	Papier ist ein Material.	
das Plastik (Sg.)	Flaschen sind aus Glas oder Plastik.	
rund	Die Brille ist rund. ○	
sportlich	Das Brillenmodell ist extrem sportlich.	
die Super-Brille, -n	Wir haben Super-Brillen zum Super-Preis.	
der Super-Preis, -e	Wir haben Super-Brillen zum Super-Preis.	
die Top-Designerin, -nen	*Elisabetta Caratti ist eine Top-Designerin.*	
unser	Unser Super-Preis: 129 Euro.	
verkaufen	Wir verkaufen alle Brillen extrem günstig.	
verschiedene	Sie bekommen die Brille in verschiedenen Farben.	
zusammen·gehören	Was gehört zusammen?	

TIPP

Malen Sie Bilder zu neuen Wörtern.

5

am meisten	Wer bietet am meisten?	
die Auktion, -en	Spielen Sie die Auktion.	
die Beschreibung, -en	Beschreibung: Designer-Tasche …	
bieten	Beschreiben Sie Ihr Produkt, die anderen bieten.	
die Designer-Tasche, -n	*Hier: eine Designer-Tasche von Mark Mitschki …*	
die Eigenschaft, -en	Eigenschaften: schön, modern …	
das Etikett, -e	*Zustand: neu – mit (Preis-)Etikett!*	
exklusiv	*Die Tasche ist exklusiv aus Paris.*	
die Kurs-Auktion, -en	*Machen Sie eine Kurs-Auktion.*	
der Kursraum, ¨-e	Wählen Sie im Kursraum einen Gegenstand.	
die Marke, -n	Die Marke? Mark Mitschki.	
möchten	Was möchten Sie versteigern?	
neu	Die Tasche ist neu.	
das Produkt, -e	Beschreiben Sie das Produkt.	
das Produktmerkmal, -e	*Produktmerkmale: Kette, aus Plastik, modern …*	

der Startpreis, -e	Der Startpreis ist nur 1 Euro.
versteigern	*Was möchten Sie versteigern?*
wichtige	Notieren Sie wichtige Informationen.
der Zustand (Sg.)	Zustand: neu

6

alle	man = jeder/alle
bitte schön	Danke. – Bitte schön.
die Entschuldigung, -en	Entschuldigung, wie heißt das auf Deutsch?
jeder	man = jeder/alle
man	Wie schreibt man „Uhr"?
das Pronomen, -	*Markieren Sie das Pronomen.*
die Uhr, -en	Die Uhr ist braun.

7

die Adresse, -n	Die Adresse von Markus Bäuerlein ist: Bismarckstraße 18, 53113 Bonn.
die Anrede (Sg.)	Anrede: Frau Paulig.
bestellen	Welche Uhr möchten Sie bestellen?

die Bestellnummer, -n	Die Bestellnummer ist 08-242.	
die Bestellung, -en	Ergänzen Sie die Bestellung.	
digital	*Die Wanduhr ist digital.*	
die E-Mail, -s	Svens E-Mail-Adresse: sven@galaxyst.com	
das Fax, -e	Wie ist die Faxnummer?	
das Geburtsdatum, -daten	Das Geburtsdatum von Heidi Klum ist 01. 06. 1973.	
die Hausnummer, -n	Meine Hausnummer ist 12.	
die Kuckucksuhr, -en	*Kuckucksuhren sind aus Holz.*	
die Menge, -n	Welche Menge möchten Sie bestellen?	
persönlich	Ergänzen Sie Ihre persönlichen Angaben.	
PLZ (die Postleitzahl, -en)	Die Postleitzahl ist 53113.	
der Produktname, -n	Wie ist der Produktname?	
rückwärts	Die Uhr rückwärts kostet 25,00 Euro.	
die Straße, -n	Die Straße heißt Bismarckstraße.	
die Wanduhr, -en	Die Wanduhr bekommen Sie in verschiedenen Farben.	

GRAMMATIK & KOMMUNIKATION

darauf	*Bedanken Sie sich und reagieren Sie darauf.*
gern	Danke. – Bitte, gern.
reagieren	Bedanken Sie sich und reagieren Sie darauf.

LERNZIELE

aus·füllen	Füllen Sie das Formular aus.
bedanken sich	Bedanken Sie sich. – Danke!
beschreiben	Beschreiben Sie „Ihr" Produkt.
die Brille, -n	Die Brille ist rot.
das Ding, -e	Eine Brille ist ein Ding.
die Farbe, -n	● Rot ist eine Farbe.
die Form, -en	Welche Form hat die Brille?
das Formular, -e	Füllen Sie das Formular aus.
der indefinite Artikel, -	*indefiniter Artikel: ● ein, ● ein, ● eine*
das Material, -ien	Material: ● Holz, ● Metall, ● Kunststoff
der Negativartikel, -	*Negativartikel: ● kein, ● kein, ● keine*
die Produktinformation, -en	Schreiben Sie eine Produktinformation zu Ihrer Brille.

Ich brauche kein Büro. 6

1

der Arbeitsplatz, ⸚e	Der Arbeitsplatz ist schön.	
diese-	Wie finden Sie diesen Arbeitsplatz?	

2

die Firma, Firmen	Wie heißt die Firma? – Brenner IT-Consulting.	
der Gruß, ⸚e	Schöne Grüße von Christian.	
heute	Sie haben heute drei Termine.	
der Termin, -e	Sie haben neue Termine.	
Uhr (13 Uhr)	Sie haben drei Termine: 14 Uhr, 16 Uhr und 17 Uhr.	

BILDLEXIKON

der Bildschirm, -e	Was kostet der Bildschirm?	
die Briefmarke, -n	Die Pluralform von „Briefmarke“ ist „Briefmarken“.	

der Computer, -	Computer sind nicht modern. Ich brauche einen Laptop.	
der Drucker, -	Wie viele Drucker hast du?	
das Handy, -s	Ich habe zwei Handys.	
der Kalender, -	Ich suche den Kalender. Wo ist er?	
die Maus, ¨-e	Ich habe keine Maus.	
das Notizbuch, ¨-er	Was suchen Sie? – Mein Notizbuch.	
die Rechnung, -en	Wo sind die Rechnungen?	
der Stift, -e	Frau Feser braucht Stifte.	
das Telefon, -e	Ich brauche kein Telefon, ich habe ein Handy.	

3

wollen	Frau Feser und Herr Brenner wollen Christian sprechen.	
die Zeit: Zeit haben	Christian hat keine Zeit für Eva.	

4

der Chef, -s	Herr Brenner ist der Chef.	
der Stress (Sg.)	Christian hat am See nur Stress.	

TIPP

Lernen Sie immer auch die Pluralform mit.

• Stift – die Stifte

6

die Pluralform, -en	*Suchen Sie die Pluralform im Wörterbuch.*	
sammeln	Sammeln Sie die Wörter an der Tafel.	
der Unterschied, -e	Finden Sie die Unterschiede.	

8

drucken	Ich drucke im Büro.	
die Endung, -en	*Ergänzen Sie die Endungen.*	
der Fragebogen, ¨	Füllen Sie den Fragebogen aus.	

9

der Anruf, -e	Christian Schmidt bekommt einen Anruf.	
der Ball, ¨e	Werfen Sie einer Person den Ball zu.	
erzählen	Erzählen Sie: Wie meldet man sich in Ihrem Land?	
melden (sich)	Wie melden Sie sich?	
die Telefonnummer, -n	In England sagt man nur die Telefonnummer.	
zu·werfen	Werfen Sie einer Person den Ball zu.	

LERNZIELE

der Akkusativ, -e	*Akkusativ: Ich habe ● einen Laptop.*	
das Büro, -s	Ich brauche kein Büro.	
der Laptop, -s	*Ich habe einen Laptop.*	

der See, -n	Der Mann arbeitet am See.	
die SMS, -	*Lesen Sie die SMS.*	
das Telefongespräch, -e	Hören Sie das Telefongespräch.	
die Telefonstrategie, -strategien	*Telefonstrategie: Guten Tag, hier ist …*	
das Wiederhören	Auf Wiederhören!	

MODUL-PLUS LESEMAGAZIN

1

der Autor, -en	Claudio Danzer arbeitet als Autor.	
cool	Ist meine Uhr nicht cool?	
doch (Modalpartikel)	Die Farbe ist doch sehr hübsch, oder?	
einfach	Meine Uhr ist einfach und praktisch.	
die Männeruhr, -en	Das ist eine Männeruhr.	
na ja	Meine Uhr ist schön. Na ja, okay, sie ist schon alt.	
die Psychologie (Sg.)	Theresa studiert Psychologie.	
das Stück, -e	Ich habe viele Uhren, sieben oder acht Stück.	
(das) Südkorea	Meine Eltern kommen aus Südkorea.	
toll	Ich finde meine Uhr toll.	

1

bei (+ Person)	Anne und Patrick sind beim Trödler.	
cm	*Das Bild ist 53 x 43 cm groß.*	
der Trödler, -	*Sie kaufen ein Bild beim Trödler.*	
der Zentimeter, -	Wie viel Zentimeter sind das?	

2

das Bierglas, ¨-er	Das Bierglas ist groß.	
das Handtuch, ¨-er	Das Handtuch ist rot.	
der König, -e	Das ist ein König.	
die Postkarte, -n	Ist das eine Postkarte?	
die Puppe, -n	Die Puppe ist klein.	
der Regenschirm, -e	Der Regenschirm ist grün.	
der Schlüsselanhänger, -	*Der Schlüsselanhänger ist schön.*	
das Souvenir, -s	Das ist ein König-Ludwig-Souvenir.	
die Tasse, -n	Die Tasse ist aus Plastik.	
der Teller, -	Der Teller ist rund.	
das T-Shirt, -s	Das T-Shirt ist schwarz.	

MODUL-PLUS PROJEKT LANDESKUNDE

1

ab	Der Nachtflohmarkt ist ab 16 Uhr.	
der Aufbau (Sg.)	*Der Aufbau ist ab 13 Uhr.*	
der Besucher, -	2000 Besucher kommen zu dem Event.	
bis (12 Jahre)	Kinder bis 12 Jahre frei	
der Eintritt, -e	Der Eintritt kostet 2 Euro.	
der Flohmarkt, ¨-e	*Der Flohmarkt ist am Samstag, 21.05.*	
frei	Der Eintritt ist frei.	
geöffnet	Der Flohmarkt ist von 16 bis 24 Uhr geöffnet.	
der Händler, -	*Die Händler verkaufen ihre Waren auf dem Flohmarkt.*	
die Kleidung (Sg.)	Auf dem Flohmarkt finden Sie Kleidung und vieles mehr.	
der Meter, -	Standpreise: 7 Euro pro Meter	
mit·bringen	Tische bitte selbst mitbringen!	
der Nachtflohmarkt, ¨-e	*In Leipzig ist der Nachtflohmarkt Tradition.*	

die Neuware, -n	Auf dem Flohmarkt findet man keine Neuware.	
die Nummer, -n	Der Nachtflohmarkt ist die Nummer eins in Sachsen.	
pro	7 Euro pro Meter	
der Standpreis, -e	*Standpreise: 7 Euro pro Meter*	
stöbern	*Stöbern Sie gern?*	
die Tradition, -en	Der Flohmarkt ist Tradition in Leipzig.	
der/das Trödel-Event, -s	*Mehr als 2000 Besucher kommen zu dem Trödel-Event.*	
der Trödelmarkt, ¨-e	*= Flohmarkt*	
der Veranstaltungs-hinweis, -e	Lesen Sie den Veranstaltungshinweis.	
die Ware, -n	Die Händler verkaufen ihre Waren von 16 bis 24 Uhr.	
zwischen	Zwischen 2000 und 3000 Besucher kommen.	

2

das Beispiel, -e	Schreiben Sie eine Produktbeschreibung wie im Beispiel.	
der Fehler, -	Der Kugelschreiber macht keine Fehler.	

der Klassenflohmarkt, ¨-e	*Machen Sie einen Klassenflohmarkt.*	
na gut	Sagen wir 4 Euro? – Na gut, okay.	
die Produktbeschreibung, -en	Schreiben Sie eine Produktbeschreibung.	

MODUL-PLUS AUSKLANG

1

alles	Wir finden alles.	
da	Wir suchen hier. Wir suchen da.	
danke sehr	Wir brauchen keine Hilfe, danke sehr.	
ja (Modalpartikel)	Das ist ja klar.	
klar	Das ist klar.	
lernen	Wir lernen Deutsch.	
schnell	Wir lernen schnell.	

2

mit·singen	Singen Sie mit.	

Du kannst wirklich toll …!

1

wohl	Was sagt der Mann wohl der Frau?

2

das Auge, -n	Deine Augen sind sehr schön.

BILDLEXIKON

backen	Ich backe gern Apfelkuchen.
fotografieren	Kannst du gut fotografieren?
Freunde treffen	Ich treffe meine Freunde oft.
Fußball spielen	Ich kann nicht Fußball spielen. Und du?
im Internet surfen	*Surfst du oft im Internet?*
malen	Ich kann gut malen.
Musik hören	Ich höre gern Musik.
Rad fahren	Fährst du gern Rad?
Schach spielen	*Ich kann ein bisschen Schach spielen.*
schwimmen	Schwimmen ist mein Hobby.
spazieren gehen	Oft gehe ich spazieren.

backen

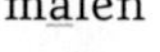

malen

Ski fahren

Freunde treffen

fotografieren

Schach spielen

im Internet surfen

Rad fahren

Fußball spielen

schwimmen

Tennis spielen

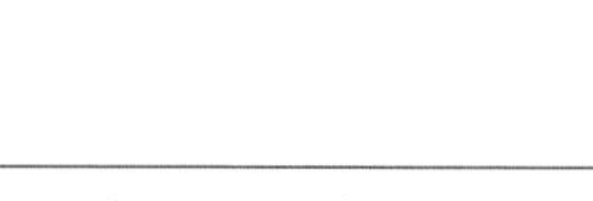

TIPP

Lernen Sie Nomen
und Verb zusammen.

Spaß machen
Freunde treffen/besuchen

5

verwenden

Verwenden Sie die passende Form von
können.

6

gar: gar nicht	Ich kann gar nicht Schach spielen.	
nicht so (gut)	Ich kann nicht so gut malen.	

7

herzlich	Herzlichen Dank.	
vor·spielen	Spielen Sie ein Hobby vor.	

8

der Ausflug, ¨-e	Ich mache gern Ausflüge.	
fast	Ich gehe fast nie ins Kino.	
die Freizeit (Sg.)	Was machen Sie gern in der Freizeit?	
das Kino, -s	Ich gehe oft ins Kino.	
lieben	Ich liebe Musik.	
Lieblings-	Mein Lieblingsbuch ist Momo von Michael Ende.	
der Lieblingsfilm, -e	Mein Lieblingsfilm ist „Das Leben der anderen".	
der Lieblingskomponist, -en	Mein Lieblingskomponist ist Mozart.	

7

manchmal	Manchmal gehe ich ins Theater.	
die Natur (Sg.)	Ich liebe die Natur.	
nie	Ich gehe nie ins Theater.	
oft	Wir fahren oft Rad.	
der Spaß (Sg.)	Das macht Spaß!	
das Theater, -	Manchmal gehe ich ins Theater.	
wie oft	Wie oft gehst du ins Kino?	

9

das Aktivitäten-Bingo, -s	Wir spielen Aktivitäten-Bingo.	
diagonal	Wer hat zuerst fünf Personen diagonal?	
die Möglichkeit, -en	Möglichkeit 1: senkrecht	
das Radio, -s	Hörst du oft Radio?	
senkrecht	Notieren Sie die Namen: senkrecht oder waagerecht.	
waagerecht	Möglichkeit 2: waagerecht	
zuerst	Wer hat zuerst fünf Personen?	

10

das Auto, -s	Kann ich das Auto haben?	
die Bitte, -n	Bitte: Kannst du das noch einmal sagen?	

gehen: das geht nicht	Nein, das geht leider nicht.
leid·tun	Tut mir leid.
leider	Das geht nicht. Leider!
mal (Modalpartikel)	Kann ich mal telefonieren?
natürlich	Ja, natürlich.
rauchen	Kann ich hier rauchen?

LERNZIELE

die Fähigkeit, -en	Wir sprechen über Fähigkeiten: Du kannst super tanzen.
die Freizeitaktivität, -en	Freizeitaktivitäten sind Musik hören, tanzen ...
die Gitarre, -n	Du kannst super Gitarre spielen.
das Kompliment, -e	Was für ein Kompliment macht der Mann der Frau?
können	Du kannst wirklich toll kochen.
das Modalverb, -en	*„Können" ist ein Modalverb.*
die Satzklammer, -n	*Satzklammer: Du* ***kannst*** *super Gitarre* ***spielen****.*
telefonieren	Kann ich telefonieren?

8 Kein Problem. Ich habe Zeit!

2

das Schwimmbad, ¨-er	Gehen wir ins Schwimmbad?

BILDLEXIKON

die Ausstellung, -en	Heute gehe ich in eine Ausstellung?
die Bar, -s	Vielleicht können wir mal wieder in eine Bar gehen?
das Café, -s	Wo ist Karina? – Im Café.
die Disco, -s	Gehen wir in eine Disco?
die Kneipe, -n	Kennst du eine Kneipe?
das Konzert, -e	Wir gehen ins Konzert.
das Museum, Museen	Heute Nachmittag gehe ich ins Museum.
das Restaurant, -s	Gehen wir ins Restaurant?

3

der Gruß, ¨-e	Liebe Grüße – Karina
in	Karina geht am Nachmittag nicht ins Schwimmbad.

4

warum	Ich habe keine Zeit. – Warum nicht?

5

das Fernsehen (Sg.)	Im Fernsehen sagt man „fünf Uhr dreißig“.
halb	Wie spät ist es? – Halb sechs.
nach	Es ist zwanzig nach drei.
der Rücken, -	„Schreiben“ Sie Uhrzeiten auf den Rücken.
spät: wie spät?	Wie spät ist es?
Viertel vor/nach	Es ist Viertel vor/nach drei.
vor	Es ist zehn vor drei.

6

bis (dann/morgen)	Dann bis vier! – Bis dann!
eigene	Schreiben Sie einen eigenen Chat.
(die) Lust, ¨-e	Lust auf Schwimmbad?
die Idee, Ideen	Gute Idee!
morgen	Vielleicht können wir morgen ins Theater gehen.

der Profilname, -n	*Ergänzen Sie auch Ihren Profilnamen.*	
spät: zu spät	Sechs Uhr ist zu spät.	
vielleicht	Vielleicht können wir ins Theater gehen.	
wann	Wann? – Um vier.	

TAGESZEITEN

der Morgen, -

der Abend, -e

die Nacht, ¨-e

der Vormittag, -e

der Mittag, -e

der Nachmittag, -e

der Abend, -e	Heute Abend gehen wir ins Kino	
besonders	Mein Lieblingstag ist der Mittwoch. Besonders der Abend.	

der Dienstag, -e	Mein Lieblingstag ist der Dienstag.	
der Donnerstag, -e	Was machst du am Donnerstag?	
der Freitag, -e	Was machst du Freitagabend?	
der Geburtstag, -e	Meine Oma hat am Sonntag Geburtstag.	
jobben	Ich jobbe im Café.	
der Lieblingstag, -e	Welcher Tag ist Ihr Lieblingstag?	
die Lieblingstageszeit, -en	Was ist Ihre Lieblingstageszeit?	
der Morgen, -	Am Morgen frühstücke ich.	
der Mittag, -e	Am Mittag gehen wir ins Restaurant.	
der Mittwoch, -e	Am Mittwoch spiele ich Tennis.	
der Mittwochabend, -e	Am Mittwochabend habe ich Zeit.	
der Montag, -e	Hast du am Montag Zeit?	
der Montagabend, -e	Am Montagabend gehe ich mit Sonja ins Kino.	
der Nachmittag, -e	Am Nachmittag geht Frida schwimmen.	
die Nacht, ¨-e	In der Nacht geht Frida in die Disco.	
die Nordsee	Am Samstag machen wir einen Ausflug an die Nordsee.	
der Salsa, -s	Am Donnerstagabend tanze ich Salsa.	
der Samstag, -e	Am Samstag ist keinDeutschkurs.	

die Sauna, -s/Saunen	Am Mittwoch gehe ich mit Chris in die Sauna.	
der Sonntag, -e	Am Sonntag hat Oma Geburtstag.	
die Uni, -s	= Universität	
der Vormittag, -e	Am Vormittag bin ich im Büro.	
die Woche, -n	Die Woche hat sieben Tage.	

TIPP

Lernen Sie Wörter – wenn möglich – als Reihe.

Montag – Dienstag – Mittwoch – …
Vormittag – Mittag – Nachmittag – …

8

ab·sagen	Sagen Sie die Einladung ab.	
der Betreff, -e	Betreff: heute	
ein·laden	Laden Sie Ihre Partnerin ein.	
das Essen, -	Markus und Svenja kommen zum Essen.	
höflich	Die E-Mail ist höflich.	
Liebe/Lieber	Lieber Timo, leider kann ich nicht kommen.	

schriftlich	Sagen Sie schriftlich zu.
sortieren	Sortieren Sie die Wendungen.
unhöflich	Die E-Mail ist unhöflich.
zu·sagen	Sagen Sie zu.

LERNZIELE

die Absage, -n	Schreiben Sie eine Absage.
der Chat, -s	Lesen Sie den Chat.
die Einladung, -en	Schreiben Sie eine Einladung.
die Tageszeit, -en	„Der Nachmittag" ist eine Tageszeit.
temporal	„Am" und „um" sind temporale Präpositionen.
die Uhrzeit, -en	Uhrzeiten: halb sechs, fünf Uhr dreißig
um (Uhr)	Gehen wir ins Kino? Heute Nachmittag um vier?
verabreden (sich)	Verabreden Sie sich im Chat.
die Verbposition, -en	Verbposition: Heute Abend **habe** ich keine Zeit.
der Vorschlag, ⸚e	Machen Sie einen Vorschlag.
der Wochentag, -e	Die Wochentage: Montag, Dienstag…

Ich möchte was essen, Onkel Harry. 9

1

der Kühlschrank, ¨-e	Ich habe immer Milch im Kühlschrank.	

2

der Durst (Sg.)	Tim hat Durst.	
der Hunger (Sg.)	Ich habe Hunger.	
das Käsebrot, -e	Er möchte kein Käsebrot.	
der Onkel, -	Onkel Harry hat keine Schokolade.	
das Schinkenbrot, -e	Er möchte kein Schinkenbrot.	

BILDLEXIKON

der Apfel, ¨-	Mögen Sie Äpfel?	
der Braten, -	Braten esse ich gern.	
das Brot, -e	Zum Frühstück essen viele Deutsche Brot.	
die Butter (Sg.)	Ein Brot mit Butter ist ein Butterbrot.	
der Fisch, -e	Als Hauptgericht mache ich einen Fisch.	

der Käse, -	Ich esse gern Brot und Käse.	
die Kartoffel, -n	Wir brauchen Kartoffeln.	
der Kuchen, -	Tim isst ein Stück Kuchen.	
die Milch (Sg.)	Ich mag keine Milch.	
die Orange, -n	Am Morgen esse ich immer eine Orange.	
der Salat, -e	Möchten Sie noch Salat?	
der Schinken, -	Ein Brot mit Schinken oder ein Brot mit Käse?	
die Schokolade, -n	Onkel Harry hat keine Schokolade.	
die Suppe, -n	Als Vorspeise essen wir eine Suppe.	
der Tee, -s	Möchten Sie Tee oder Kaffee?	
die Tomate, -n	Haben wir noch Tomaten?	

LEBENSMITTEL

3

erst	Am Sonntag frühstücke ich erst um elf.	
das Käsebrötchen, -	Ich esse zum Frühstück ein Käsebrötchen.	
das Wochenende, -n	Am Wochenende frühstücke ich nicht.	

4

der Appetit	Guten Appetit!
bitte sehr	Bitte sehr!
der Dank	Vielen Dank.
ebenfalls	Guten Appetit. – Danke, ebenfalls.
schmecken	Wie schmeckt die Suppe?
trinken	Trinken Sie einen Kaffee?

5

Danke schön	Der Braten schmeckt sehr gut. – Danke schön.
der Eiersalat, -e	Als Vorspeise machen wir Eiersalat.
der Gast, ¨-e	Was schenkt der Gast?
gleichfalls	Guten Appetit. – Danke, gleichfalls.
das Lieblingsessen, -	Was ist dein Lieblingsessen?
der Nachbar, -n	Sind Sie Nachbarn?
planen	Planen Sie gemeinsam ein Essen.
schenken	Der Gast schenkt Schokolade.
die Szene, -n	Spielen Sie kleine Szenen.

9

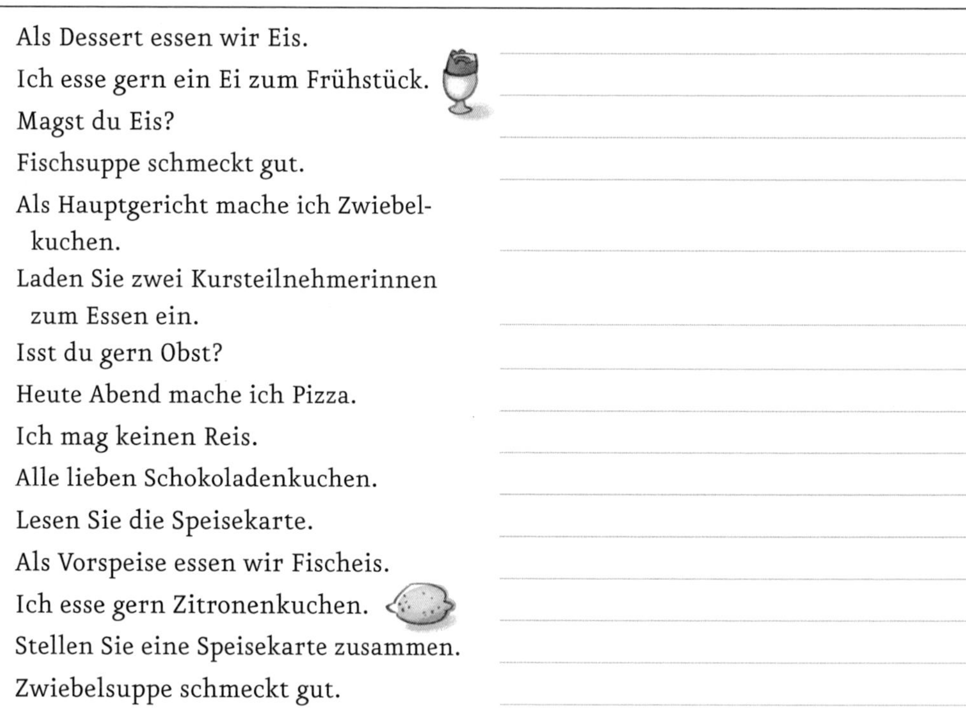

6

das Dessert, -s	Als Dessert essen wir Eis.	
das Ei, -er	Ich esse gern ein Ei zum Frühstück.	
das Eis (Sg.)	Magst du Eis?	
die Fischsuppe, -n	Fischsuppe schmeckt gut.	
das Hauptgericht, -e	Als Hauptgericht mache ich Zwiebelkuchen.	
die Kursteilnehmerin, -nen	Laden Sie zwei Kursteilnehmerinnen zum Essen ein.	
das Obst (Sg.)	Isst du gern Obst?	
die Pizza, -s/Pizzen	Heute Abend mache ich Pizza.	
der Reis (Sg.)	Ich mag keinen Reis.	
der Schokoladenkuchen, -	Alle lieben Schokoladenkuchen.	
die Speisekarte, -n	Lesen Sie die Speisekarte.	
die Vorspeise, -n	Als Vorspeise essen wir Fischeis.	
die Zitrone, -n	Ich esse gern Zitronenkuchen.	
zusammen·stellen	Stellen Sie eine Speisekarte zusammen.	
die Zwiebel, -n	Zwiebelsuppe schmeckt gut.	

7

die Aalsuppe, -n	Aalsuppe isst man in Hamburg.	
der Apfelstrudel, -	Apfelstrudel kommt aus Österreich, oder?	
der Favorit, -en	Wählen Sie Ihre Favoriten.	
das Kalbfleisch (Sg.)	Ein Wiener Schnitzel ist aus Kalbfleisch.	
der Kartoffelsalat, -e	Wer möchte Kartoffelsalat?	
die Leberknödelsuppe, -n	Wir essen Leberknödelsuppe als Vorspeise.	
die Rösti (Pl.)	Die Rösti sind aus Kartoffeln.	
die Rote Grütze (Sg.)	Rote Grütze ist ein Dessert.	
die Sahne (Sg.)	Es gibt Rote Grütze mit Sahne.	
typisch	Was sind typische Gerichte aus Deutschland?	
das Vanilleeis (Sg.)	Mein Lieblingseis ist Vanilleeis.	
das Wiener Schnitzel, -	Wiener Schnitzel ist der Favorit im Kurs.	
das Zürcher Geschnetzelte	Heute essen wir Zürcher Geschnetzeltes.	

LERNZIELE

essen	Ich esse gern Müsli.	
die Essgewohnheit, -en	über Essgewohnheiten sprechen: Zum Frühstück esse ich immer …	

das Frühstück (Sg.)	Ich esse gern Müsli zum Frühstück.	
das Lebensmittel, -	Welche Lebensmittel haben Sie immer im Kühlschrank?	
mögen	Wir mögen Kaffee.	
das Müsli, -s	Ich esse oft Müsli.	
die Speise, -n	Speisen im Restaurant	
der Tomatensalat, -e	die Tomate + der Salat = der Tomatensalat	
die Vorliebe, -n	Was sind deine Vorlieben beim Essen?	

MODUL-PLUS LESEMAGAZIN

1

absolut	„Haben und Nichthaben" ist Anjas absoluter Lieblingsfilm.	
das Beachvolleyball (Sg.)	*Möchtest du Beachvolleyball spielen?*	
bearbeiten	Meine Seite bearbeiten	
das Brötchen, -	Es gibt Brötchen zum Frühstück.	
das Cello, -s/Celli	Anja spielt Cello.	
einmal	Einmal im Jahr kommt mein Lieblingsfilm.	
endlich	Endlich wieder Kino!	
die Flöte, -n	Kannst du Flöte spielen?	

der Frauen-Ausflug, ¨-e	Wir machen heute einen Frauen-Ausflug.	
freuen (sich)	Ich freue mich schon!	
der Garten, ¨-	Wir machen ein Frühstück im Garten.	
grillen	Möchtest du grillen?	
der Honig (Sg.)	Ein Brötchen mit Honig, bitte.	
der Jazz (Sg.)	Magst du Jazz?	
die Klassik (Sg.)	Anja hört gern Klassik.	
das Konto (Internet), Konten	mein Konto auf Bingobaby	
los	Na los!	
der Mai, -e	Samstag, 29. Mai	
die Marmelade, -n	Zum Frühstück gibt es Brot, Marmelade …	
das Musikfrühstück, -e	Wir machen ein Musikfrühstück.	
online	22 Freunde sind online.	
der Orangensaft, ¨-e	Wer möchte einen Orangensaft?	
das Profil, -e	Das ist das Profil von Anja Ebner.	
die Startseite, -n	Willkommen auf der Startseite.	
die Überschrift, -en	Welche Überschrift passt?	
die Veranstaltung, -en	Welche Veranstaltung möchten Sie machen?	
willkommen	Willkommen bei Anja Ebner!	
die Wurst (Sg.)	Ich mag keine Wurst.	

4

der Blog, -s	Schreiben Sie einen Blog.

MODUL-PLUS FILMSTATIONEN

1

das Inlineskaten	*Mein Hobby ist Inlineskaten.*

2

besuchen	Am Wochenende besuchen wir Freunde.
das Fußballspiel, -e	Wir gehen heute Abend zu einem Fußballspiel.
das Kurzinterview, -s	*Sehen Sie die Kurzinterviews.*
verbinden	Verbinden Sie.

3

der Apfelsaft, ¨-e	Trinken Sie gern Apfelsaft?
das Bier, -e	Ich trinke nicht gern Bier.
der Gasthof, ¨-e	*Mein Lieblingsrestaurant ist der Gasthof Birner in Wien.*
das Getränk, -e	Bier und Apfelsaft sind Getränke.

das Lieblingsrestaurant, -s	Wie heißt dein Lieblingsrestaurant?	
süß	Schokolade ist süß.	
das Wasser, ¨	Ich trinke zum Essen immer Wasser.	
die Currywurst, ¨e	*Ich esse gern Currywurst.*	
der Erdäpfelsalat, -e	*Kartoffelsalat = Erdäpfelsalat in Österreich.*	
das Geschnetzelte (Sg.)	*Was ist Geschnetzeltes?*	
der Grünkohl (Sg.)	*Grünkohl schmeckt gut.*	
das Gulasch (Sg.)	*Gulasch ist eine Speise aus Ungarn.*	
das Kassler, -	*Kommt Kassler aus Kassel?*	
der Knödel, -	Mögen Sie Knödel?	
der Matjes, -	*Matjes ist Fisch.*	
die Pellkartoffel, -n	*Pellkartoffeln sind gut.*	
die Pommes frites (Pl.)	Ich möchte bitte ein Wiener Schnitzel mit Pommes frites.	
der Rotkohl (Sg.)	*Wie schmeckt Rotkohl?*	
die Sahnesoße, -n	*Matjes isst man gern in Sahnesoße.*	
der Schweinebraten, -	*Mein Opa liebt Schweinebraten.*	

MODUL-PLUS PROJEKT LANDESKUNDE

1

bedeuten	Was bedeutet Resteessen?	
das Corned Beef, -s	Stampfen Sie Corned beef.	
daraus	Was hast du zu Hause? Daraus kochen wir etwas.	
dazu	Heute mache ich Labskaus. Dazu essen wir Spiegelei.	
dazu·geben	Geben Sie Zwiebeln dazu.	
ein·kaufen	Wir kaufen heute nicht ein.	
extra	Man kauft nicht extra ein.	
frisch	Man verwendet frische Zutaten.	
früher	Früher war Labskaus ein Resteessen.	
die Gewürzgurke, -n	Mögen Sie Gewürzgurken?	
der Labskaus (Sg.)	Labskaus kommt aus Norddeutschland.	
norddeutsch	Labskaus ist eine norddeutsche Spezialität.	
(das) Norddeutschland	Hamburg und Kiel sind Städte in Norddeutschland.	
der Pfeffer (Sg.)	Würzen Sie mit Pfeffer.	

der Rest, -e	Heute macht man Labskaus nicht mehr aus Resten.
das Resteessen, -	Labskaus war ein Resteessen.
das Rezept, -e	Lesen Sie das Rezept.
das Salz (Sg.)	Wir brauchen Salz.
das Seefahreressen (Sg.)	Labskaus war ein Seefahreressen.
die Spezialität, -en	Labskaus ist eine Spezialität.
das Spiegelei, -er	Zu Labskaus isst man Spiegelei.
stampfen	Stampfen Sie die Kartoffeln.
traditionell	Das ist ein traditionelles Seefahreressen.
würzen	Würzen Sie mit Salz und Pfeffer.
zu Hause	Was haben Sie zu Hause?
die Zutat, -en	Das Gericht macht man aus frischen Zutaten.

2

das Käsefondue, -s	*Mein Gericht heißt Käsefondue.*
das Kursrezeptbuch, ¨-er	Machen Sie ein Kursrezeptbuch.
der Wein, -e	Für Käsefondue brauchst du Käse, Wein und Brot.

MODUL-PLUS AUSKLANG

1

dich	Wann kann ich dich sehen?	
ganz	Ich weiß es ganz genau.	
glücklich	Wir können einfach glücklich sein.	
die Strophe, -n	Sortieren Sie die Strophen.	
wunderschön	Tina, du bist wunderschön.	

Ich steige jetzt in die U-Bahn ein.

die U-Bahn, -en	Ich steige jetzt in die U-Bahn ein.	

schließen	Schließen Sie die Augen und hören Sie.	

2

aus·steigen	Der Mann steigt aus.
der Bahnhof, ¨-e	Der Mann ist am Bahnhof.
ein·steigen	Der Mann steigt ein.
der Flughafen, -	Der Mann ist am Flughafen.

BILDLEXIKON

der Bahnsteig, -e	Am Bahnsteig sind viele Menschen.
der Bus, -se	Ich nehme den Bus.
das Flugzeug, -e	Magst du Flugzeuge?
das Gepäck (Sg.)	Ich habe viel Gepäck.
das Gleis, -e	Vorsicht am Gleis 10!
die Haltestelle, -n	Eine Frau ist an der Haltestelle.
der Koffer, -	Ja, den Koffer habe ich und die Tasche auch.
die S-Bahn, -en	Der Mann steigt in die S-Bahn ein.
die Straßenbahn, -en	Die Straßenbahn fährt zum Flughafen.
das Taxi, -s	Ich brauche ein Taxi.
der Zug, ¨-e	Wann kommt der Zug an?

TRENNBARE VERBEN

 ein·steigen

 fern·sehen

 an·rufen

an·kommen

 aus·steigen

 ein·kaufen

 ab·fahren

4

Achtung!	Achtung! Bitte zurückbleiben!	
ein·fahren	Am Bahnsteig 2 fährt die U2 ein.	
fern·sehen	Siehst du noch ein bisschen fern?	
gerade	Der Zug fährt gerade ein.	
der Halt, -e/-s	Nächster Halt Innsbrucker Ring.	
die Minute, -n	In vierzig Minuten komme ich zu Hause an.	
die Vorsicht (Sg.)	Bitte Vorsicht!	
zurück·bleiben	Am Bahnsteig 2: Zurückbleiben bitte!	

> TIPP
>
> **Sie lesen den Satz:**
> „Wir steigen dann in Flensburg in den Bus um."
> Sie verstehen „steigen" nicht und suchen im Wörterbuch. Achten Sie auch auf das Satzende. Suchen Sie „umsteigen" im Wörterbuch.

5

der Infinitiv, -e	Notieren Sie die Infinitive: einsteigen, fernsehen …	

6

ab·fahren	Wo fährt der Zug ab?	
achten auf	Achten Sie auf die richtige Satzstellung.	
die Satzstellung, -en	Wie ist die richtige Satzstellung?	
stellen	Ihr Partner stellt Fragen.	

7

ab·holen	Holst du mich am Bahnhof ab?	
der Cappuccino, -s	*Bringst du einen Cappuccino mit?*	
entschuldigen	Entschuldigen Sie, wo fährt der Zug nach München ab?	

der Hauptbahnhof, ¨-e	Fährt ein Bus vom Hauptbahnhof zum Flughafen?	
nehmen	Nimmst du ein Taxi? – Nein, ich nehme den Bus.	
um·steigen	Ich steige in den Bus um.	
weitere-	Kennen Sie weitere Wörter?	

8

geben	Geben Sie die Sätze einem anderen Paar.	
der Kasten, ¨	Schreiben Sie Sätze mit den Wörtern aus dem Kasten.	
das Satzpuzzle, -s	Machen Sie ein Satzpuzzle.	
zerschneiden	Zerschneiden Sie die Sätze.	

9

der Punkt, -e	Der Satz ist richtig. Du bekommst einen Punkt.	
die Spielfigur, -en	Ziehen Sie mit Ihrer Spielfigur.	
überprüfen	Machen Sie einen Satz. Die anderen überprüfen.	
das Würfelspiel, -e	Spielen Sie ein Würfelspiel.	

10

auf·passen	Pass auf dich auf!	
der Ausdruck, ¨-e	Können Sie den Ausdruck übersetzen?	

11

durch	Gehen Sie durch den Kursraum.	

LERNZIELE

also	Also dann – tschüs.	
an·kommen	Wann kommst du in Hamburg an?	
an·rufen	Ich rufe dich an.	
beenden	Der Mann beendet das Telefonat.	
die Durchsage, -n	Hören Sie die Durchsage.	
informieren (sich)	Informieren Sie sich: Wann kommt er an?	
die Reise, -n	Wir machen eine Reise.	
das Telefonat, -e	Der Mann beendet das Telefonat.	
das trennbare Verb, -en	*„Anrufen" ist ein trennbares Verb: Ich rufe dich an.*	
das Verkehrsmittel, -	Die U-Bahn ist ein Verkehrsmittel in der Stadt.	

Was hast du heute gemacht? 11

1

-mal (ein-/zwei-/ dreimal)	Ich gehe zweimal in der Woche ins Schwimmbad.	
täglich	Ich fahre täglich zur Arbeit.	
wirklich	Ich fahre immer Fahrrad. – Wirklich?	
wohin	Wohin fährst du?	
zu (lokal: zur/zum)	Ich fahre zur Arbeit und zum Einkaufen.	

BILDLEXIKON

auf·räumen	Die Kinder räumen am Abend auf.	
die Hausaufgabe, -n	Am Nachmittag machen sie Hausaufgaben.	
schlafen	Hast du gut geschlafen?	
die Pause, -n	Von eins bis zwei habe ich eine Pause gemacht.	
die Zeitung, -en	Am Morgen lese ich Zeitung.	

Hausaufgaben machen

aufräumen

Deutsch lernen

E-Mails schreiben

arbeiten

Zeitung lesen

schlafen

eine Pause machen

Kaffee kochen

3

frühstücken	Anja frühstückt gerade.	
das Geschenk, -e	Anja braucht ein Geschenk für Tante Betti.	
der Juni, -s	Heute ist Montag, der 3. Juni.	

kaufen	Anja kauft ein Geschenk.	
die Orchesterprobe, -n	Heute Abend habe ich Orchesterprobe.	
die Tante, -n	Anjas Tante heißt Betti.	

4

auf·stehen	Wann stehen Sie auf?	
der Deutschkurs, -e	Was machen Sie heute nach dem Deutschkurs?	
der Kursleiter, - / die Kursleiterin, -nen	Ihre Kursleiterin nennt die Tätigkeiten.	
die Tätigkeit, -en	Ihre Kursleiterin nennt die Tätigkeiten.	

5

ach ja	Ach ja: Ich habe eine Mail geschrieben.	
bringen	Sie bringen den Schrank am Mittwoch.	
denken	Ich habe oft an dich gedacht.	
der Dezember, -	Ich kann noch bis Dezember arbeiten.	
die Dienstreise, -n	Michi ist auf einer Dienstreise.	
fleißig	Habt ihr fleißig für das Konzert geübt?	
der Geschäftspartner, -	Ich habe den ganzen Tag mit Geschäftspartnern gesprochen.	

gleich	Herr Bergmair hat gleich angerufen.	
interessant	Die Arbeit ist interessant.	
der Küchenschrank, ⸚e	Der Küchenschrank ist fertig.	
der Kunde, -n	Michi spricht viel mit Kunden.	
lachen	Wir haben viel gelacht.	
langweilig	Hier ist es so langweilig!	
Liebste/r	Hallo mein Liebster!	
das Mittagessen, -	Babs hat mich zum Mittagessen eingeladen.	
nachmittags	Nachmittags habe ich eingekauft.	
das Partizip, -ien	Partizip: gemacht, gesprochen, angerufen …	
die Perfekt-Form, -en	*Markieren Sie die Perfekt-Formen.*	
das Präsens (Sg.)	*Präsens = Jetzt-Zeit*	
die Privatreise, -n	Wir machen eine Privatreise nach Österreich.	
reden	Wir haben viel geredet.	
der Schatz, ⸚e	Ich freue mich auf dich, mein Schatz!	
schwanger	Anja bekommt ein Baby. = Sie ist schwanger.	

TIPP

Schreiben Sie Sätze.
Benutzen Sie neue
und alte Wörter.

Die Party ist langweilig.

Ich habe mein Zimmer aufgeräumt.

6

die Bewegung, -en	Machen Sie eine Bewegung. Die anderen raten.	
letzte-	Hast du letzten Freitag E-Mails geschrieben?	
die Mittagspause, -n	Ich habe keine Mittagspause gemacht.	
das Pantomime-Spiel, -e	Wir spielen ein Pantomime-Spiel.	

8

die Rechtschreibung (Sg.)	Korrigieren Sie die Rechtschreibung.	

GRAMMATIK & KOMMUNIKATION

regelmäßig	„machen“ ist ein regelmäßiges Verb.	
unregelmäßig	„schreiben“ ist ein unregelmäßiges Verb.	

LERNZIELE

die Alltagsaktivität, -en	Alltagsaktivitäten: Was machst du oft?	
gestern	Was hast du gestern gemacht?	

das Perfekt (Sg.)	Perfekt mit haben: Was hast du heute gemacht?
der Tagesablauf, ¨-e	einen Tagesablauf beschreiben: um 8 Uhr, um 9 Uhr, um 19 Uhr …
der Terminkalender, -	Lesen Sie Anjas Terminkalender.
das Vergangene	über Vergangenes sprechen: Was hast du gemacht?

Was ist denn hier passiert?

1

feiern	Die Leute haben Geburtstag gefeiert.
die Hochzeit, -en	Wer hat die Hochzeit im Restaurant gefeiert?
der Karneval (Sg.)	Die Leute haben vielleicht Karneval gefeiert.
die Leute (Pl.)	Ich glaube, die Leute feiern gern.
passieren	Was ist passiert?
das Silvester, -	Wann feiert man Silvester?

2

das Mal, -e (das letzte/ erste Mal)	Wann haben Sie das letzte Mal gefeiert?	

BILDLEXIKON

der April, -e	Wer hat im April Geburtstag?	
der August, -e	Der August ist ein Monat	
der Februar, -e	Der Karneval dauert bis Februar oder März.	
der Frühling, -e	Was feiert ihr im Frühling?	
der Herbst, -e	Das Oktoberfest ist im Herbst.	
der Januar, -e	Wann hast du Geburtstag? – Im Januar.	
der Juli, -s	Der Juli ist ein Sommermonat.	
der März, -e	Manchmal dauert der Karneval bis März.	
der November, -	Der Karneval fängt im November an.	
der Oktober, -	Ist das Oktoberfest im Oktober?	
der September, -	Das Oktoberfest fängt im September an.	
der Sommer, -	Was machst du im Sommer?	
der Winter, -	Silvester und Neujahr ist im Winter.	

Frühling

März, April, Mai

Sommer

Juni, Juli, August

Herbst

September, Oktober, November

Winter

Dezember, Januar, Februar

TIPP

Finden Sie internationale Wörter. Man kann sie leicht verstehen. Vergleichen Sie die Wörter mit Ihrer Muttersprache.

Deutsch	Englisch	Französisch
Winter	winter	hiver
studieren	to study	étudier

3

an·fangen	Der Karneval fängt im November an.	
auf·hören	Der Karneval hört im Februar oder März auf.	

bis	Zu Rock am Ring gehen 70000 bis 80000 Rockmusik-Fans.	
dauern	Das Fest dauert zwei bis drei Tage.	
etwa	Zum Oktoberfest kommen etwa fünf bis sechs Millionen Besucher.	
der/das Event, -s	Rock am Ring ist ein tolles Event.	
der Fasching (Sg.)	Fasching = Karneval, Fasnacht	
die Fasnacht (Sg.)	Fasnacht = Karneval, Fasching	
das Festival, -s	Rock am Ring ist ein Rockmusik-Festival.	
im (temporal)	Das Oktoberfest ist im September und Oktober.	
die Jahreszahl, -en	Notieren Sie die Jahreszahlen.	
das Karnevalsfest, -e	Die großen Karnevalsfeste sind an den letzten sechs Tagen.	
klingen	Rock am Ring? Das klingt interessant.	
die Lieblingsband, -s	Was ist deine Lieblingsband?	
(das) Neujahr (Sg.)	Neujahr = 1. Januar	
die Open-Air-Party, -s	*Die größte Silvester-Open-Air-Party ist in Berlin.*	
die Rockmusik (Sg.)	*Ich liebe Rockmusik.*	
der Rockmusik-Fan, -s	*Rockmusik-Fans gehen zu Rock am Ring.*	

rund: rund um die Uhr	Rund um die Uhr können die Besucher ihre Lieblingsband hören.
ungefähr	Das Oktoberfest dauert ungefähr zwei Wochen.
die Welt, -en	Menschen in der ganzen Welt feiern Silvester und Neujahr.

4

gefallen	Das Festival hat ihnen gut gefallen.
nett	Henry hat viele nette Leute getroffen.

5

die Abschiedsparty, -s	Am Donnerstag war Marc auf einer Abschiedsparty.
die Einweihungsparty, -s	*Am Freitag ist meine Einweihungsparty.*

6

dorthin	Wie bist du dorthin gekommen? – Ich bin geflogen.
der Stichpunkt, -e	Schreiben Sie Stichpunkte auf einen Zettel.
der Teilnehmer, - / die Teilnehmerin, -nen	Jeder Teilnehmer liest einen Zettel vor.
das Top-Party-Erlebnis, -se	Was war dein Top-Party-Erlebnis?

7

die Aktivität, -en	Besondere Aktivitäten: Hast du schon einmal Karneval gefeiert?	
besondere	Besondere Aktivitäten: Hast du schon einmal Karneval gefeiert?	
der Fallschirm, -e	Mein Hobby ist Fallschirmspringen.	
mindestens	Das möchte ich mindestens einmal machen.	
der Pazifik (Sg.)	Ich möchte im Pazifik schwimmen.	
die Pyramide, -n	*Hast du die Pyramiden von Gizeh schon gesehen?*	
segeln	Ich möchte einmal über die Nordsee segeln.	
springen	Bist du schon einmal Fallschirm gesprungen?	
das Weißbier, -e	Ich trinke gern Weißbier.	

8

das Jahreszeiten-Poster, -	Machen Sie ein Jahreszeiten-Poster.	
wandern	Im Herbst wandern wir gern.	

GRAMMATIK & KOMMUNIKATION

die Vergangenheit, -en	Wir sprechen über Vergangenes, also die Vergangenheit.	

LERNZIELE

das Fest, -e	Feste: Geburtstag, Karneval, Hochzeit …	
geben: es gibt	Das Oktoberfest gibt es seit 1810.	
fliegen	Er ist nach München geflogen.	
der Informationstext, -e	Wir lesen viele Informationstexte.	
die Jahreszeit, -en	Was ist deine Lieblingsjahreszeit?	
der Monat, -e	Der Juni ist ein schöner Monat.	
das Oktoberfest, -e	Das Oktoberfest feiert man in München.	

MODUL-PLUS LESEMAGAZIN

1

blühen	Die Kirschbäume blühen schon.	
der Club, -s	Heute Abend gehe ich zum Tanzen in einen Club.	
danach	Um 15 Uhr war im Hotel. Danach bin ich gleich in die Stadt gegangen.	
der Dom, -e	Speyer hat einen Dom.	
das Frühlings-Wochenende, -n	Anjas Frühlings-Wochenende am Rhein	
das Hotel, -s	Um 15 Uhr ist Anja im Hotel angekommen.	

der Kirschbaum, ⸚e	Im Schlossgarten von Schwetzingen gibt es Kirschbäume.	
der Kommentar, -e	Schreiben Sie einen Kommentar.	
lecker	Pfälzer Wein ist lecker.	
der Link, -s	Welcher Link passt? Markieren Sie.	
los·fahren	Um 12 Uhr bin ich losgefahren.	
los·gehen	Ich bin gleich losgegangen.	
nach Hause	Anja möchte nicht nach Hause.	
das Orchester-Wochenende, -n	Anja war auf einem Orchester-Wochenende in Luzern.	
der Park, -s	Anja geht in den Park.	
der Reise-Blog, -s	Anja schreibt einen Reise-Blog.	
das Rosa (Sg.)	So viel Rosa habe ich noch nie gesehen.	
schade	Das Wochenende ist vorbei. Schade!	
der Schlosspark, -s	In Schwetzingen gibt es einen schönen Schlosspark.	
(das) Schottland	Letzten Sommer war ich in Schottland.	
das Schweinefleisch (Sg.)	Isst du gern Schweinefleisch?	
(das) Süditalien	Im Sommer fahren wir nach Süditalien.	
der Tipp, -s	Ich habe einen Tipp bekommen.	
total	Das Technik Museum ist total interessant.	

über (mehr als)	Die Stadt ist über 2000 Jahre alt.	
unterwegs	Anja ist viel unterwegs.	
der Verkehr (Sg.)	Es war nicht viel Verkehr.	
vorbei sein	Das Wochenende ist schon fast vorbei.	
(das) Wales	Wo ist Wales?	
der Wasserturm, ⸚e	Der Wasserturm von Mannheim ist interessant.	

MODUL-PLUS FILMSTATIONEN

1

der Weg, -e	Hannas Weg ins Büro	

2

das Croissant, -s	*Martin hat Croissants gebacken.*	
holen	Er hat die Zeitung geholt.	
das Jenga (Sg.)	*Hast du schon einmal Jenga gespielt?*	
sauber machen	*Später hat Martin aufgeräumt und sauber gemacht.*	
der Spaziergang, ⸚e	Ich habe einen Spaziergang gemacht.	
das Videotagebuch, ⸚er	*Sehen Sie das Videotagebuch.*	
zu (zu Abend)	Wann isst du zu Abend?	

3

die Betriebsfeier, -n	*Am Freitag hatten wir Betriebsfeier.*	
die Diashow, -s	Sehen Sie die Diashow.	
das Faschingsfest, -e	Wir waren auf einem Faschingsfest.	
die Führerscheinprüfung, -en	*Hast du die Führerscheinprüfung gemacht?*	
die Geburtstagsfeier, -n	*Wie war Annas Geburtstagsfeier?*	
lustig	Die Feier war sehr lustig.	
schaffen	Hast du die Prüfung geschafft?	

MODUL-PLUS PROJEKT LANDESKUNDE

1

die Aussicht, -en	Genießen Sie die Aussicht auf die Stadt.	
bequem	Mit öffentlichen Verkehrsmitteln können Sie Zürich bequem besichtigen.	
die Bergbahn, -en	Nehmen Sie die Bergbahn und sehen Sie Zürich von oben.	
besichtigen	Touristen können Zürich mit Bus und Bahn besichtigen.	
die Fahrt, -en	Auf der Fahrt mit dem Wassertaxi sehen Sie Zürich vom Wasser aus.	

genießen	Genießen Sie die tolle Aussicht.	
lieber	Möchten Sie Zürich lieber von oben sehen?	
oben: von oben	Mit der Bergbahn können Sie Zürich von oben sehen.	
öffentlich	Zürich hat ein gutes öffentliches Verkehrnetz.	
der Tourist, -en	Tipp für Touristen: Fahren Sie mit öffentlichen Verkehrsmitteln.	
die Touristeninformation, -en	Entschuldigung, wo ist die Touristeninformation, bitte?	
die Tram, -s	= die Straßenbahn	
das Velo, -s (CH)	= das Fahrrad	
das Verkehrsnetz, -e	Das Verkehrsnetz von Zürich ist sehr gut.	
das Wassertaxi, -s	Nehmen Sie ein Wassertaxi und besichtigen Sie die Stadt vom Wasser aus.	
wenige	Nur wenige Menschen nehmen öffentliche Verkehrsmittel.	

2

der Botanische Garten, ¨	Wir sind mit Bus und Tram zum Botanischen Garten gefahren.	
dabei	Sie möchten die Stadt besichtigen und dabei alle Verkehrsmittel nehmen.	

recherchieren	Recherchieren Sie im Internet.	
die Reihenfolge, -n	In welcher Reihenfolge wollen Sie die Sehenswürdigkeiten besichtigen?	
die Sehenswürdigkeit, -en	Wo sind die Sehenswürdigkeiten von Zürich?	
die Verkehrsbetriebe (Pl.)	Suchen Sie auf der Website der Verkehrsbetriebe Zürich.	
die Website, -s	Gehen Sie auf die Website.	
wie lange	Wie lange dauert die Fahrt?	
der Zoo, -s	Wir möchten zum Zoo.	

MODUL-PLUS AUSKLANG

1

früh	Bis morgen früh!	
der Hit, -s	DJ PartyMax bringt seine Hits mit.	
der Liedtext, -e	Lesen Sie den Liedtext und hören Sie.	
vergessen	Heute Abend haben wir die Woche schon vergessen.	
zusammen	Wir feiern zusammen.	

3

bilden	Bilden Sie Gruppen.	
die Gruppe, -n	Sprechen Sie in der Gruppe.	
(der) House (Sg.)	*Hören Sie gern House?*	
(die) Popmusik (Sg.)	*Mögen Sie Popmusik?*	
(der) Punk (Sg.)	*Ich tanze gern zu Punk.*	
(der) Reggae (Sg.)	*Reggae ist meine Lieblingsmusik.*	
(der) Ska (Sg.)	*Was ist Ska?*	
(der) Swing (Sg.)	*Swing ist toll.*	
(der) Techno (Sg.)	*Tanzt du gern zu Techno?*	

Wir suchen das Hotel Maritim.

1

ab·biegen	Nach 600 Metern bitte rechts abbiegen.	
an·machen	Die Frau macht den Navigator an.	
im (lokal)	Die beiden sitzen im Auto.	

fahren	Fahr weiter.
geradeaus	Fahr geradeaus.
der Kilometer, -	1000 Meter sind ein Kilometer.
links	Bitte links abbiegen.
der Navigator, Navigatoren	*Die Frau macht den Navigator an.*
rechts	Fahren Sie nach rechts.
der Stadtplan, ⸚e	Der Stadtplan ist nicht falsch.
stimmen	Mein Stadtplan stimmt.
wenden	*Bitte wenden Sie.*
weiter·fahren	Fahr geradeaus weiter.
zurück·fahren	Fahr zurück.

TIPP

Wie kann ich mir ein Wort merken? Überlegen Sie sich eine Hilfe.

Links oder rechts?
Das ist ganz einfach.
L wie links.

BILDLEXIKON

auf	Der Stab ist auf dem Würfel.
an	Der Stab ist an dem Würfel.
hinter	Der Stab ist hinter dem Würfel.

in	Der Stab ist in dem Würfel.
neben	Der Stab ist neben dem Würfel.
über	Der Stab ist über der Pyramide.
unter	Der Stab ist unter der Pyramide.
vor	Der Stab ist vor dem Würfel.
zwischen	Der Stab ist zwischen den Würfeln.

2

der Blick, -e	Der Blick von oben: Was sehen Sie?
der Stab, ¨-e	*Wo ist der Stab?*
der Würfel, -	*Der Stab ist hinter dem Würfel.*

3

die Polizei (Sg.)	Wo ist die Polizei?
die Post (Sg.)	Ich suche die Post.
die Stadtmitte, -n	*Das Hotel ist in der Stadtmitte.*
das Zentrum, Zentren	die Stadtmitte = das Zentrum

4

die Nähe: in der Nähe (von)	Das Hotel ist in der Nähe.

5

am (lokal)	Die Post ist am Bahnhof.	
durch·kommen	Sie kommen unter einer Brücke durch.	
ein·tragen	*Tragen Sie den Weg in den Plan ein.*	
der Plan, ⸚e	Tragen Sie den Weg in den Plan ein.	
vorbei·fahren	Fahren Sie an den Cafés vorbei.	
das Haus, ⸚er	An den Häusern fahren Sie auch vorbei.	

6

bauen	„Bauen“ Sie Bilder.	

7

fremd	Ich bin auch fremd hier.	
trotzdem	Trotzdem: Dankeschön.	

8

das Gedächtnis, -se	*Wie gut ist Ihr Gedächtnis?*	

9

der Moment, -e	Haben Sie einen Moment Zeit?	
nun	Bitten Sie nun höflich um Hilfe.	

LERNZIELE

die Ampel, -n	An der Ampel fahren Sie nach links.
der Dativ, -e	*Dativ: vor dem Restaurant*
die Institution, -en	*Institutionen wie Bank, Post …*
lokal	*lokale Präpositionen vor, in, an …*
nach (lokal)	Fahren Sie nach links.
der Platz, ⸚e	Plätze in der Stadt
vor (lokal)	Wo? – Vor dem Restaurant.
die Wegbeschreibung, -en	*Machen Sie eine Wegbeschreibung.*

Wie findest du Ottos Haus?

1

das Computerspiel, -e	Spielen Sie gern Computerspiele?

BILDLEXIKON

der Balkon, -e und -s	Da oben ist sein Balkon.
der Baum, ⸚e	Im Garten steht ein Baum.

die Blume, -n	Im Garten sind viele Blumen.	
das Erdgeschoss, -e (EG)	Im Erdgeschoss sind die Küche und das Wohnzimmer.	
die Garage, -n	Da hinten ist die Garage.	
der Keller, -	Hat das Haus auch einen Keller?	
der Stock, ¨-e: erster Stock	Im ersten Stock sind die Schlafzimmer.	

3

das Arbeitszimmer, -	Wo ist sein Arbeitszimmer?	
das Bad, ¨-er	Das Bad ist im ersten Stock.	
der Flur, -e	Du stehst im Flur. Links ist die Toilette.	
das Kinderzimmer, -	Die Wohnung hat zwei Kinderzimmer.	
die Küche, -n	Die Küche ist klein.	
das Schlafzimmer, -	Das Schlafzimmer ist aber groß.	
die Toilette, -n	Entschuldigung, wo ist die Toilette, bitte?	
das Wohnzimmer, -	Das Wohnzimmer ist neben der Küche.	

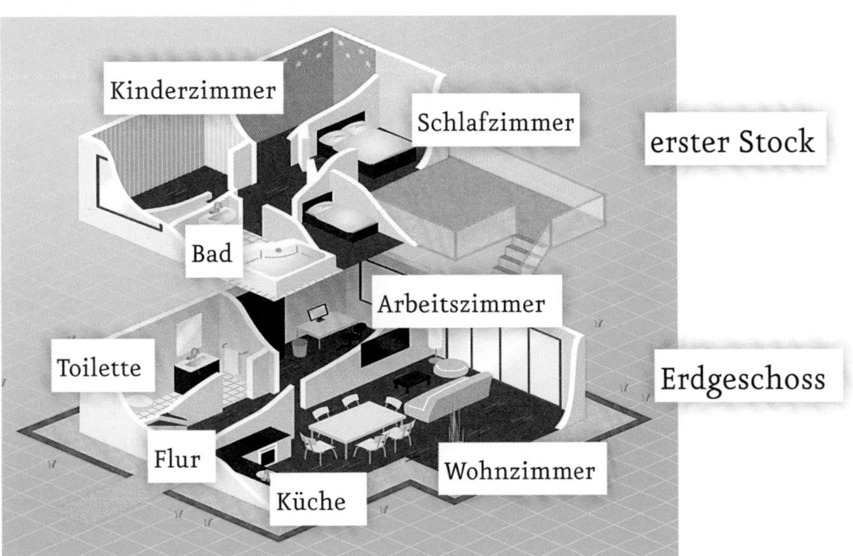

5

hinten	Da hinten ist Ottos Garage.	
mögen	Seinen Garten mag ich nicht so.	
oben	Da oben ist sein Balkon.	

sein/seine (Possessiv-artikel)	Das ist Otto. Und das ist seine Nachbarin Vanilla.	
unten	Wo ist der Garten? – Da unten.	
vorn	Wo ist das Arbeitszimmer? – Da vorn.	

6

aus·sehen	Dein Garten sieht toll aus.	
nicht so: nicht so gut	Vanillas Haus finde ich nicht so gut.	

8

das Apartment, -s	*Apartment mit 32 m^2*	
bezahlen	Man bezahlt die Miete jeden Monat.	
dringend	Polizistin sucht dringend Wohnung.	
der Herd, -e	In der Küche stehen der Kühlschrank und der Herd.	
inkl. (inklusive)	Sind die Nebenkosten inklusive?	
der Kontakt, -e	Kontakt: vanilla@btx.net	
der Kühlschrank, ¨-e	Ist die Küche mit Kühlschrank und Herd?	
leer	Die neue Wohnung ist nicht leer.	
die Miete, -n	Was kostet die Miete?	
mitten	Wohnen wie auf dem Land und doch mitten in der Stadt!	

möbliert	Die Wohnung ist möbliert.
die Monatsmiete, -n	Die Monatsmiete ist 320 Euro.
der Müll (Sg.)	Die Nebenkosten sind für Wasser, Müll und Licht.
die Nebenkosten (NK) (Pl.)	*320 € inkl. NK*
plus	*Die Miete ist 880 Euro plus Nebenkosten.*
die Polizistin, -nen	*Die Polizistin sucht eine Wohnung.*
der Quadratmeter, -	Wie viel Quadratmeter hat die Wohnung?
der Schlafraum, ¨-e	Das Apartment hat einen Wohn- und Schlafraum.
der Stellplatz, ¨-e	ein Stellplatz für das Auto
die Tiefgarage, -n	*Das Haus hat eine Tiefgarage.*
der Vermieter, -	Der Vermieter bekommt die Miete.
die Warmmiete, -n	Die Warmmiete ist inklusive Warmwasser.
der Wohnraum, ¨-e	Das Apartment hat nur einen Wohnraum.
die Wohnung, -en	Wer bietet eine Wohnung an?
der Wohnungsmarkt, ¨-e	*Lesen Sie die Anzeigen im Wohnungsmarkt.*
z. B. (zum Beispiel)	*Man bezahlt Nebenkosten, zum Beispiel für Wasser und Müll.*
die 2-Zimmer-Wohnung, -en	Ich suche eine 2-Zimmer-Wohnung.

TIPP

Beschreiben Sie Wörter.

Hier kann man kochen. → Küche
Das bezahle ich für meine Wohnung. → Miete

9

das Bauernhaus, ¨-er	Mein Traumhaus ist ein altes Bauernhaus.	
die Fabrik, -en	Ich wohne in einer Fabrik.	
der Fluss, ¨-e	Neben dem Haus gibt es einen Fluss.	
der Freizeitpark, -s	Vor dem Haus ist ein Freizeitpark.	
der Fußballplatz, ¨-e	Hinter dem Haus gibt es einen Fußballplatz.	
der Leuchtturm, ¨-e	*Mein Haus ist ein Leuchtturm.*	
der Stall, ¨-e	*Neben dem Haus steht ein Stall.*	
der Swimmingpool, -s	*Im Garten ist ein Swimmingpool.*	
das Traumhaus, ¨-er	Wie sieht Ihr Traumhaus aus?	
der Wald, ¨-er	Hinter dem Haus ist ein Wald.	
das Zelt, -e	Ich wohne in einem Zelt.	

10

negativ	Ihre neue Wohnung: Was ist negativ?	
positiv	Positiv ist: Das Bad hat ein Fenster.	
um·ziehen	Ich bin umgezogen.	

LERNZIELE

der Eigenname, -n	*Eigennamen: Otto, Vanilla …*	
der Genitiv, -e	*Genitiv bei Eigennamen: Ottos Haus, Vanillas Haus*	
die Wohnungsanzeige, -n	Lesen Sie die Wohnungsanzeigen.	

In Giesing wohnt das Leben!

2

der Hafen, ¨	Ich sehe den Hafen.	
das Meer, -e	Ich sehe das Meer, ich mag den Blick.	

BILDLEXIKON

die Altstadt, ¨-e	Die Altstadt von Zürich ist schön.
die Bibliothek, -en	Gibt einen Link zur Bibliothek?
das Geschäft, -e	Ich suche ein Geschäft für Souvenirs.
die Jugendherberge, -n	Gibt es hier eine Jugendherberge?
der Kindergarten, ¨-	Zum Kindergarten ist es nicht weit.
die Kirche, -n	Gibt es eine Kirche in der Nähe?
der Laden, ¨-	Es gibt viele Läden in dem Viertel.
der Markt, ¨-e	Der Markt ist jeden Donnerstag.
das Rathaus, ¨-er	Wo ist das Rathaus? – Im Zentrum.
das Schloss, ¨-er	Wie heißt das Schloss?
der Spielplatz, ¨-e	Die Kinder spielen auf dem Spielplatz.
der Turm, ¨-e	Ein Leuchtturm ist ein Turm.

der Spielplatz, ¨-e
die Kirche, -n
der Hafen, ¨-
das Schloss, ¨-er
das Meer, -e
der Park, -s
der Turm, ¨-e
der Markt(platz), ¨-e

TIPP

Sehen Sie den Lernwortschatz „In der Stadt“ an. Schließen Sie das Buch. Schreiben Sie jetzt die Wörter mit Artikel auf. Wie viele Wörter kennen Sie?

der Turm,
der Park ...

4

aktuell	Aktuelles: Der neue Film von Sam Jung läuft jetzt im Kino.
der Arbeiter, -	Hier leben Arbeiter und Studenten.
der Ausländer, -	In Giesing leben Deutsche und Ausländer gut zusammen.
danken	Ich danke dir.
davon	*Was davon gibt es auch in Ihrer Stadt?*
der/die Deutsche, -n	Wohnen dort viele Deutsche?
die Ecke, -n: um die Ecke	Der Kindergarten ist gleich um die Ecke.
die Fanseite, -n	*Für alle Glückstadt-Spieler gibt es eine Fanseite.*
gehören	Der Stadtteil gehört uns allen.
gratulieren	Hallo Marlene. Gratuliere! Dein Blog gefällt mir.
der Heimatort, -e	*Gibt es in Ihrem Heimatort viele Läden?*
helfen	Dein Text über Giesing hilft mir.
hin·kommen	Wir kommen gut zu Fuß hin.

in: in sein	Giesing ist nicht in. Giesing ist normal.
das Kochrezept, -e	neue Kochrezepte auf www.kochnetz.net
die Landschaft, -en	Ich liebe diese Landschaft.
das Lieblingsviertel, -	*Was ist Ihr Lieblingsviertel?*
mir	*Dein Text hilft mir.*
das Nachbarhaus, ¨-er	Der Friseur ist gleich im Nachbarhaus.
nämlich	Marlenes Text über Giesing hilft mir. Ich möchte nämlich bald in München studieren.
der Regen, - (Sg.)	Regen oder Sonne?
das Reisebüro, -s	Wie heißt das Reisebüro um die Ecke?
die Ruhe (Sg.)	Marlene liebt die Ruhe auf dem Land.
schon (Modalpartikel)	Giesing ist schon okay.
die Sonne, -n	Wie ist das Wetter? Sonne?
der Spieler, -	aktuelle Informationen für alle Glückstadt-Spieler
die Stadtteil-Bibliothek, -en	In München gibt es Stadtteil-Bibliotheken.
das Stadtviertel, -	*Was gibt es in Ihrem Stadtviertel?*
überall	Von hier aus kommen wir überall hin.
das Viertel, - (Stadtviertel)	*Marlene liebt ihr Viertel.*
weit	Wie weit ist es bis zum Bahnhof?

die Werkstatt, ¨-en	Hier sind auch viele Werkstätten.	
das Wetter (Sg.)	Das Wetter in München ist super.	

5

der Berg, -e	Saskia gefallen die Berge.	
euch	*Gefällt euch das?*	
ihm	Das Haus gehört Otto. = Es gehört ihm.	
ihnen	*Wie gefällt es ihnen in München?*	
(das) Kanada	*Ich mache oft in Kanada Urlaub.*	
der Urlaubsort, -e	Wem gefällt der Urlaubsort?	

LERNZIELE

eigentlich	Gibt es eigentlich ein Kino in Giesing?	
die Einrichtung, -en	Einrichtungen und Orte in der Stadt	
normal	Giesing ist ganz normal.	

MODUL-PLUS LESEMAGAZIN

1

bayerisch	*Magst du bayerische Blasmusik?*	
beliebt	Der Biergarten ist bei Touristen sehr beliebt.	

der Biergarten, ¨	Der Biergarten am Seehaus ist sehr schön.	
die Blasmusik (Sg.)	*Im Turm spielt eine bayerische Blasmusik für die Gäste.*	
der/die Einheimische, -n	*Einheimische und Touristen mögen den Biergarten.*	
der Englische Garten	*Der Englische Garten ist mehr als 200 Jahre alt.*	
die Fläche, -n	Der Park hat mehr als vier Quadratkilometer Fläche.	
die Freundschaft, -en	Das Teehaus ist ein Zeichen für die Freundschaft von München und Sapporo.	
griechisch	*Der Monopteros ist ein griechischer Tempel.*	
die Großstadt, ¨e	München ist eine Großstadt.	
grün: im Grünen	*Nur 800 Meter und schon ist man im Grünen.*	
der Hügel, -	Der Monopteros ist auf einem Hügel.	
das Jahrhundert, -e	Im 18. Jahrhundert war ein Park noch etwas Besonderes.	
der Lieblingspark, -s	Haben Sie einen Lieblingspark?	
die Olympiastadt, ¨e	*München und Sapporo sind Olympiastädte.*	
das Prozent, -e	Wir haben noch nicht einmal 30 Prozent vom Park gesehen.	

der Quadratkilometer, -	*Ein Park mit mehr als vier Quadratkilometern – das ist sehr viel.*	
die Richtung, -en	Jetzt gehen wir etwa 800 Meter in Richtung Stadtmitte.	
der Sitzplatz, ⸚e	Der Biergarten hat 7.000 Sitzplätze.	
die Städtepartnerschaft, -en	*München hat eine Städtepartnerschaft mit Sapporo.*	
das Stadtzentrum, Stadtzentren	Vom Stadtzentrum sind es nur etwa 800 Meter zum Englischen Garten.	
starten	Ich starte meinen Spaziergang woanders.	
die Station, -en	Ich fahre vier Stationen.	
der Tempel, -	*Der Monopteros ist ein Tempel.*	
üblich	Volksnähe war im 18. Jahrhundert nicht üblich.	
die Volksnähe (Sg.)	Volksnähe war im 18. Jahrhundert nicht üblich.	
woanders	*Ich beginne den Spaziergang woanders.*	
das Zeichen, -	Das Teehaus ist ein Zeichen für die Freundschaft von München und Sapporo.	

MODUL-PLUS FILM-STATIONEN

1

der Lieblingsplatz, ⸚e	Was ist Ihr Lieblingsplatz?

2

die Superwohnung, -en	Das ist eine Superwohnung.

3

der Bär, -en	*Im Berner Wappen sieht man einen Bären.*
der Einwohner, -	Wie viele Einwohner hat die Stadt?
das Hochdeutsch (Sg.)	*Sprechen Sie Hochdeutsch?*
das Wappen, -	*Im Berner Wappen sieht man einen Bären.*

MODUL-PLUS PROJEKT LANDESKUNDE

1

die Atmosphäre, -n	Besonders gern mag ich die Atmosphäre am Hafen.
das Containerschiff, -e	*Spannend ist der Hafen mit den Containerschiffen.*
die Elbe	*Hamburg liegt an der Elbe.*

elektronisch	Dort gibt es auch elektronische Produkte.	
das Gewürz, -e	In der Speicherstadt lagern Waren von den Schiffen, z.B. Gewürze.	
irgendwann	Vielleicht sehen wir uns irgendwann mal?	
der Kakao, -s	Kakao, Kaffee, Tee, Gewürze – Waren von den Containerschiffen	
der Kirchturm, ¨-e	Der Blick vom Kirchturm ist toll.	
die Kultur, -en	Hamburg ist eine Kulturstadt.	
kulturell	In der Speicherstadt gibt es viele kulturelle Veranstaltungen.	
die Kunst, ¨-e	In Hamburg gibt es alles: Kunst und Kultur, Restaurants und Bars …	
lagern	*In der Speicherstadt lagern Waren.*	
die Lesung, -en	Es gibt auch Lesungen und Theateraufführungen.	
die Lieblingsstadt, ¨-e	Meine Lieblingsstadt ist Hamburg.	
das Schiff, -e	Im Hafen liegen viele Schiffe.	
spannend	Der Hafen ist besonders spannend.	
die Speicherstadt, ¨-e	*Auch die Speicherstadt ist sehr interessant.*	
die Theateraufführung, -en	*Hast du die Theateraufführung gesehen?*	
das Wahrzeichen, -	*Die Kirche St. Michaelis ist das Wahrzeichen von Hamburg.*	

MODUL-PLUS AUSKLANG

der Tanzschritt, -e — Lernen Sie die Tanzschritte.

2

ach! — *Ach, mein Schatz, ich finde es super in Berlin.*
betonen — *Betonen Sie, was Ihnen gefällt und was nicht.*
entscheiden — Entscheiden Sie: Wo sind Sie lieber?
hin·fahren — Da fahren wir jetzt hin.
das Schnucki, -s — *Und du, Schnucki? Findest du es auch so schön hier?*

Wir haben hier ein Problem.

fest·stecken — *Der Aufzug steckt fest.*
funktionieren — Der Aufzug funktioniert nicht.

der Gast, ⸚e	Sie sind Gäste im Hotel Maritim.	
kennen·lernen	Möchten Sie George Clooney gern kennenlernen?	
der Kollege, -n	Die beiden sind Kollegen.	
stecken bleiben	*Mit wem möchten Sie im Aufzug stecken bleiben?*	

2

die Angst, ⸚e	Die Frau und der Mann haben Angst.	
genervt (sein)	*Sie sind genervt.*	
rufen	Sie rufen Hilfe.	
warten	Sie warten.	
weiter·gehen	*Wie geht die Geschichte weiter?*	

BILDLEXIKON

der Aufzug, ⸚e	Der Aufzug steckt fest.	
der Bademantel, ⸚	Können Sie mir einen Bademantel bringen?	
die Dusche, -n	Die Dusche funktioniert nicht.	
der Föhn, -e	*Ich brauche bitte einen Föhn.*	
der Fernseher, -	Der Fernseher ist kaputt.	
die Heizung, -en	Die Heizung funktioniert nicht.	

die Internetverbindung, -en	Hat das Zimmer eine Internetverbindung?	
das Licht, -er	Können Sie bitte das Licht ausmachen?	
die Klimaanlage, -n	Gibt es in dem Hotel keine Klimaanlage?	
der Wecker, -	Ich nehme meinen Wecker ins Hotel mit.	

TIPP
Schreiben Sie Zettel und hängen Sie die Zettel in der Wohnung auf.

der Fernseher

3

die Aufzugfirma, -firmen	Die Aufzugsfirma kommt in 30 Minuten.	
aus·machen	Machen Sie bitte das Licht aus.	
der Hotelgast, ¨-e	Die Hotelgäste warten im Aufzug.	
reparieren	Nur die Aufzugsfirma kann den Aufzug reparieren.	
der Techniker, -	*Der Techniker kann helfen.*	

4

kalt	Es ist sehr kalt.	
kaputt	Der Fernseher ist kaputt.	

kümmern: sich kümmern um	Ich kümmere mich sofort darum.	
schicken	Können Sie einen Techniker schicken?	
sofort	Ich kümmere mich sofort darum.	

die Liste, -n	Machen Sie eine Liste mit fünf Dingen.	
mit·nehmen	Ich nehme mein Handy immer mit.	

6

der/die Angestellte, -n	Sie sind Angestellter im Hotel.	
Bescheid sagen	Sie sagen dem Zimmermädchen Bescheid.	
das Rollenspiel, -e	Rollenspiel: Spielen Sie Gespräche.	
die Situation, -en	Wählen Sie eine Situation.	
das Zimmermädchen, -	Das Zimmermädchen bringt sofort Handtücher.	
zu zweit	*Arbeiten Sie zu zweit.*	

7

ab (temporal)	Ab Montag bin ich in Urlaub.	
erst	Ich kann erst um 16.30 Uhr kommen.	
geehrte/geehrter	Sehr geehrte Frau Wegele, ...	
die Geschäftsreise, -n	Von Mittwoch bis Freitag bin ich auf Geschäftsreise.	
pünktlich	Ich komme leider nicht pünktlich.	
die Sitzung, -en	Ich schaffe es nicht pünktlich zur Sitzung.	
so	Gehen wir essen? So um 18.30 Uhr?	
der Tanzkurs, -e	Wir können vor dem Tanzkurs noch zusammen essen.	
das Thema, Themen	Was ist das Thema?	

überfliegen	*Überfliegen Sie die E-Mails.*	
der Urlaub, -e	Ich bin für eine Woche im Urlaub.	
der Zeitpunkt, -e	Wann ist ein guter Zeitpunkt?	
die Zukunft (Sg.)	in einer Woche = Zeitpunkt in der Zukunft	

8

die Alternative, -n	Können Sie eine Alternative vorschlagen?	
der Spanischkurs, -e	*Nach dem Spanischkurs habe ich Zeit.*	
vor·schlagen	Was schlägst du vor?	
zurück·kommen	Wann kommt Carola zurück?	

9

ach, wirklich?	*Ich bin im Aufzug stecken geblieben. – Ach, wirklich?*	
dumm	Wie dumm! Jetzt ist das Essen kalt.	
das Navi, -s	*Mein Navi funktioniert nicht.*	
seltsam	Seltsam! Jetzt funktioniert es doch.	

LERNZIELE

für (temporal)	Ich bin für eine Woche im Urlaub.	
nach (temporal)	Petra geht nach der Uni nicht zu Massimo.	

tun	Was kann ich für Sie tun?	
vereinbaren	Wollen wir einen Termin für Dienstag vereinbaren?	
verschieben	Julia möchte den Termin mit Martin verschieben.	

Wer will Popstar werden?

1

die Akademie, -n	*Auf der Akademie kann man Singen und Tanzen studieren.*	
anerkannt	*staatlich anerkannte Schule*	
an·melden (sich)	Melde dich jetzt an!	
die Anzeige, -n	Anzeige 1 ist interessant.	
die Aufnahmeprüfung, -en	*Die Aufnahmeprüfung ist am 15.7.*	
bewerben: sich bewerben für	Bewirb dich jetzt für das Casting.	
das Casting, -s	*Das nächste Casting ist im Juli.*	
die Castingshow, -s	*Die Castingshow sucht den Superstar.*	

international	Ich studiere an der internationalen Pop-Akademie.
die Schauspielkunst, ¨-e	Möchtest du auch auf die Schule für Schauspielkunst?
staatlich	Ist die Schule staatlich anerkannt?
der Superstar, -s	Deutschland sucht den Superstar – so heißt eine Castingshow.
werden	Du möchtest Popstar werden.

BILDLEXIKON

das Ausland (Sg.)	Ich habe drei Jahre im Ausland gelebt.
(das) Europa	Junge Leute reisen gern durch Europa.
der Führerschein, -e	Stefan möchte bald den Führerschein machen.
das Geld (Sg.)	Wer möchte nicht viel Geld haben?
heiraten	Martin und Lisa haben geheiratet.
das Motorrad, ¨-er	Kannst du Motorrad fahren?
das (Musik)Instrument, -e	Spielst du ein Musikinstrument?
der Politiker, -	Wer will Politiker werden?
reisen	Wir reisen im Sommer durch Europa.
steigen	Möchtest du auf einen Berg steigen?
verdienen	Ich möchte viel Geld verdienen.

ein Buch schreiben 

heiraten 

im Ausland leben 

Chef werden

eine große Familie haben

viele Fremdsprachen lernen

Schauspieler werden 

auf einen Berg steigen 

den Führerschein machen 

Politiker werden

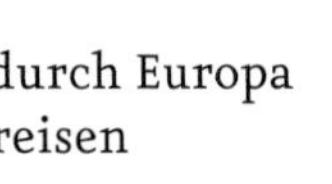

durch Europa reisen

ein Musik-instrument lernen

Geld verdienen 

um die Welt segeln

Motorrad fahren

3

ab·schließen	Hast du die Ausbildung abgeschlossen?	
besser	Mit einer Berufsausbildung hat man bessere Chancen.	
die Berufsausbildung, -en	Ich finde eine Berufsausbildung wichtig.	
die Chance, -n	Auch ohne Ausbildung hat Cherry sehr gute Chancen.	
dort	Lisa war auf zwei Musikschulen, aber dort hat sie nicht viel gelernt.	
einfach (Modalpartikel)	Mit der Pop-Akademie habe ich einfach bessere Chancen.	
das Glück (Sg.): Glück bringen	*Die Starbrille bringt Cherry Glück.*	
das Image, -s	*Was kann ich für mein Image tun?*	
jung	289 junge Leute haben sich angemeldet.	
das Komponieren	*Auf der Akademie kann man Komponieren lernen.*	
der Liedermacher, -	Fabian sagt, er ist Liedermacher.	
die Musikproduktion, -en	Was ist wichtig für die Musikproduktion?	
die Musikschule, -n	Lisa war auf zwei Musikschulen.	
PR (Public Relations)	PR – *Wie arbeitet man richtig mit Internet, Radio, Fernsehen und Zeitungen?*	
der Profi, -s	Ich will schnell Profi werden.	

der Singer-Songwriter, -	*Die meisten Leute sagen „Singer-Songwriter“ und nicht „Liedermacher“.*
die Starbrille, -n	Sehen Sie mal: Das ist meine Starbrille.
der Studienplatz, ¨-e	Nur 12 bekommen einen Studienplatz an der Pop-Akademie.
der Textanfang, ¨-e	Lesen Sie den Textanfang.
texten	*Fabian textet und singt nur auf Deutsch.*
verkaufen: sich verkaufen	Wie verkaufe ich mich?
weiter·lesen	Lesen Sie nun den Text weiter.
zählen	Für sie zählt heute nur eine Frage.

TIPP

Suchen Sie Wörter zu einem Thema.

Musik: Sänger, Lied, Instrument spielen, singen, tanzen, Konzert

4

jeweils	Notieren Sie jeweils drei Gegenstände.
die Kreditkarte, -n	Ich nehme meine Kreditkarte mit.
das Lieblingsbuch, ¨-er	Wie heißt dein Lieblingsbuch?
die Prüfung, -en	Hast du Angst vor der Prüfung?
das Prüfungszimmer, -	Fabian geht in das Prüfungszimmer.

6

der Fall, ¨-e: auf keinen Fall	Ich will auf keinen Fall Motorrad fahren.

7

der Abschluss, ¨-e	Schreiben Sie zwei Wörter zum Abschluss.
die Anleitung, -en	Lesen Sie die Anleitung.
das Elfchen-Gedicht, -e	*„Elfchen"-Gedichte sind Gedichte mit elf Wörtern.*
fit (sein)	Bist du fit?
das Gedicht, -e	Ich möchte gern Gedichte schreiben.
gemütlich	Mit den Nachbarn ist es so gemütlich.
der iPod ®, -s	*Hast du einen iPod®?*
laufen	Ich laufe am Mittwoch im Park.
putzen	Die Wohnung putzen – wie langweilig!
die Zeile, -n	Das Gedicht hat fünf Zeilen.

LERNZIELE

äußern	*Sie äußern ihre Wünsche.*
kreativ	kreatives Schreiben

unbedingt	Ich will unbedingt Schauspielerin werden.	
der Wunsch, ¨-e	Wir sprechen im Kurs über Wünsche.	
der Zeitungstext, -e	Lesen Sie den Zeitungstext.	

Geben Sie ihm doch diesen Tee!

1

die Kopfschmerzen (Pl.)	Herr Brehm hat Kopfschmerzen.	
krank sein	Er ist krank.	

BILDLEXIKON

die Apotheke, -n	In der Apotheke bekommen Sie Medikamente.	
das Fieber (Sg.)	Das Fieber ist nicht sehr hoch.	
der Husten (Sg.)	Was tun Sie bei Husten?	
das Medikament, -e	Ich brauche ein Medikament gegen Kopfschmerzen.	

das Pflaster, -	Hast du ein Pflaster?	
die Praxis, Praxen	Der Arzt arbeitet in einer Praxis.	
das Rezept, -e	Für das Medikament brauchen Sie ein Rezept.	
die Salbe, -n	Mein Rücken tut weh. Haben Sie vielleicht eine Salbe?	
der Schnupfen, -	Ich habe Schnupfen.	
die Tablette, -n	Ich nehme eine Tablette oder gehe zum Arzt.	

2

der Arm, -e	Hat er auch Schmerzen in den Armen?	
das Bein, -e	Mein Bein tut weh.	
bleiben	Ich bleibe im Bett.	
hoch	Das Fieber ist hoch.	
husten	Er hustet und hustet. Er hat Husten.	

3

der Beitrag, ¨-e	Lesen Sie die Beiträge im Gesundheitsforum.	
das Vitamin C	*Nehmen Sie Vitamin C.*	

4

der Bauch, ¨-e	Mein Bauch tut weh.	
die Brust, ¨-e	Sie hat Schmerzen in der Brust.	
der Finger, -	Die Hand hat fünf Finger.	
der Fuß, ¨-e	Ein Mensch hat zwei Füße.	
der Hals, ¨-e	Salbei ist gut für den Hals.	
die Hand, ¨-e	Ich habe immer noch Schmerzen in der Hand.	
das Knie, -	Au, mein Knie!	
der Mund, ¨-er	Sein Mund ist groß.	
die Nase, -n	Ihre Nase ist klein.	
das Ohr, -en	Er hat große Ohren.	
der Zahn, ¨-e	Sie hat Zahnschmerzen	

TIPP

Spielen Sie ein Memo-Spiel zum Thema „Gesundheit und Krankheit". Schreiben Sie einen Satz auf zwei Karten. Mischen Sie und finden Sie die Paare.

Mein Bein | tut weh.

Ich habe | Husten und Schnupfen.

Ich bin | krank.

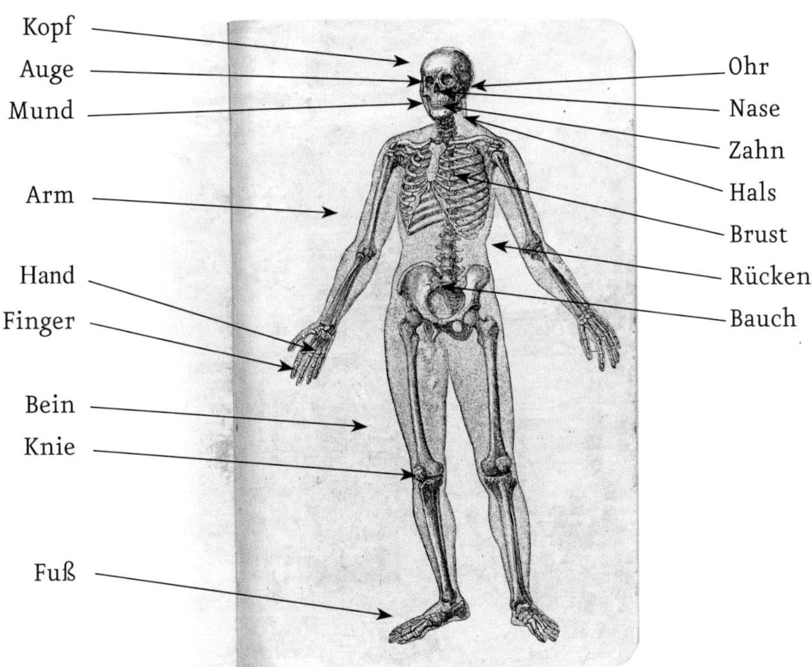

5

der Baldrian, -e	*Baldrian ist gut bei Kopf- oder Bauchschmerzen.*	
bei	Was machen Sie bei Kopfschmerzen?	

erscheinen	Das Buch ist im Kloster-Verlag erschienen.	
fein	Gutes und Feines aus dem Kloster	
die Halsschmerzen (Pl.)	Salbei hilft sehr gut gegen Halsschmerzen.	
das Heilkraut, ¨er	*Nehmen Sie doch mal Heilkräuter.*	
der Kamillentee, -s	*Gegen Bauchschmerzen trinke ich Kamillentee.*	
das Kloster, ¨	*Schwester Angelika lebt in einem Kloster.*	
der Klosterladen, ¨	*Der Klosterladen Bieberach verkauft Heilkräuter.*	
der Klosterlikör, -e	*Der Klosterlikör schmeckt sehr gut.*	
die Kosmetika (Pl.)	Im Klosterladen gibt es auch Kosmetika.	
der Kräutertee, -s	*Ich trinke Kräutertee gegen Fieber.*	
die Küchenkräuter (Pl.)	*Mit Küchenkräutern kochen – das macht das Essen besser.*	
die Naturmedizin (Sg.)	Oft kann Ihnen auch die Naturmedizin helfen.	
der Ratgebertext, -e	*Lesen Sie den Ratgebertext.*	
der Salbei (Sg.)	*Oft helfen auch Heilkräuter, zum Beispiel Salbei.*	
die Spirituosen (Pl.)	*Im Klosterladen gibt es auch Spirituosen.*	
der Verlag, -e	Das Buch ist im Kloster-Verlag erschienen.	

6

befragen	*Befragen Sie Ihren Partner.*	
dritt: zu dritt	*Arbeiten Sie zu dritt.*	
gesund	Wie gesund lebst du?	
die Umfrage, -n	Machen Sie eine Umfrage im Kurs.	

7

die Fantasiefigur, -en	Zeichnen Sie eine Fantasiefigur.	
die Figur, -en	Beschreiben Sie Ihre Figur.	
das Haar, -e	Ihre Haare sind lang.	
das Spiel, -e	Spielen Sie das Spiel.	
die Zeichnung, -en	Welche Zeichnungen passen zusammen?	

GRAMMATIK & KOMMUNIKATION

direkt	direkt: Geben Sie ihm diesen Tee!	
indirekt	*indirekt: Schwester Angelika sagt, ich soll dir diesen Tee geben.*	
der Sport (Sg.)	Dann soll er Sport machen.	
die Verwendung, -en	Verwendung von Imperativ und sollen.	

LERNZIELE

die Bauchschmerzen (Pl.)	Was machst du gegen Bauchschmerzen?	
gegen	Gegen Bauchschmerzen trinke ich Tee.	
der Imperativ, -e	*Imperativ: Gehen Sie zum Arzt!*	
der Kopf, ¨-e	Mein Kopf tut weh.	
das Körperteil, -e	Körperteile: Arm, Bein, Kopf …	
die Krankheit, -en	Ich spreche nicht gern über Krankheiten. Du?	
der Ratgeber, -	*Lesen Sie den Ratgeber(text)!*	
der Ratschlag, ¨-e	Welche Ratschläge gibt Schwester Angelika?	
der Schmerz, -en	Haben Sie Schmerzen?	
sollen	Schwester Angelika sagt, du sollst im Bett bleiben.	
weh·tun	Mein Kopf tut weh.	

MODUL-PLUS LESEMAGAZIN

1

der Anwalt, ¨-e	Ich gebe die Sache an meinen Anwalt.	
der Apparat, -e	Um 16.05 Uhr war ein Mann am Apparat.	

berechnen	*Für diesen Service berechnen wir 25 Euro.*
das Betriebssystem, -e	*MigaFlex Ultra 1.02 läuft auf allen Betriebssystemen.*
die Dame, -n	Sehr geehrte Damen und Herren, ...
deinstallieren	*Ich möchte das Programm deinstallieren.*
deshalb	Deshalb möchte ich mein Geld zurück.
der Erfolg, -e	Ich habe noch einmal angerufen, ohne Erfolg.
das Festnetz, -e	0,49 Euro / Minute aus dem Festnetz
installieren	*Einfach installieren und problemlos nutzen!*
die Internet-Seite, -n	Auf Ihrer Internet-Seite versprechen Sie: alles ganz einfach!
der Kaufpreis, -e	Der Kaufpreis ist 199 Euro.
langsam	Mein Computer läuft ganz langsam.
löschen	*Ich will die Software löschen.*
der Mitarbeiter, -/die Mitarbeiterin, -nen	Ihr Mitarbeiter hat keine Zeit.
das Monatsende, -n	Überweisen Sie mir das Geld bis zum Monatsende.
nutzen	Die Software können Sie sofort nutzen.
das Online-Handbuch, ¨-er	*Das Online-Handbuch versteht kein Mensch.*

problemlos	*Man kann die Software nicht problemlos installieren.*	
der Sachbearbeiter, -	*Die Sachbearbeiter sind in der Mittagspause.*	
der Service, -s	Die Firma hat einen schlechten Service.	
die Service-Abteilung, -en	Die Service-Abteilung ist geschlossen.	
die Software (Sg.)	Vor einer Woche habe ich Ihre Software gekauft.	
die Telefon-Hotline, -s	*Bei Fragen hilft unsere Telefon-Hotline.*	
die Telefonkosten (Pl.)	Ich möchte die Telefonkosten zurück.	
verlieren	Ich will auf keinen Fall noch mehr Geld verlieren.	
versprechen	Auf Ihrer Internet-Seite versprechen Sie viel.	
versuchen	Ich habe Sie dreimal angerufen. Um 16.05 Uhr habe ich es noch einmal versucht.	
weiter·geben	Ich gebe die Sache meinem Anwalt weiter.	
die Wirklichkeit, -en	So sieht die Wirklichkeit aus.	
zurück·überweisen	Bitte überweisen Sie das Geld zurück.	

1

der Busch, ¨-e	*Er schneidet Büsche.*	
der Elektroinstallateur, -e/ die Elektroinstallateurin, -nen	*Nach der Schule hat er Elektroinstallateur gelernt.*	
die Elektronikfirma, -firmen	*Er arbeitet bei einer Elektronikfirma.*	
der Hausmeister, -	Heute arbeitet er als Hausmeister.	
die Hecke, -n	*Er schneidet die Hecken.*	
der Strom (Sg.)	Er kümmert sich um das Wasser und den Strom.	
die Tür, -en	Er repariert Türen.	

2

die Karriere, -n	*Ich will Karriere machen.*	
die Krücke, -n	*Ich will endlich wieder ohne Krücken gehen.*	
das Model, -s	*Junge Frauen möchten oft Model werden.*	
der Tierarzt, ¨-e	Mein Sohn will Tierarzt werden.	

3

das Joggen	*Ich gehe zwei oder drei Mal pro Woche joggen.*	
die Meditation, -en	*Joggen ist für mich Meditation.*	
morgens	Ich sitze von morgens bis abends am Computer.	
pro: einmal pro Woche	Wie oft joggst du pro Woche?	

MODUL-PLUS PROJEKT LANDESKUNDE

1

begleiten	*Wünsche begleiten unser Leben.*	
die Erde (Sg.)	Der Baum symbolisiert die Verbindung zwischen Himmel und Erde.	
die Gesundheit (Sg.)	Mein großer Wunsch? Gesundheit.	
die Liebe (Sg.)	Viele Menschen haben einen Wunsch: Liebe.	
der Millionär, -e	*Ich will Millionär werden.*	
symbolisieren	*Was symbolisiert der Wunschbaum?*	
die Verbindung, -en	Der Baum symbolisiert die Verbindung zwischen Himmel und Erde.	

die Weltreise, -n	Ich möchte so gern eine Weltreise machen.	
der Wunschbaum, ¨-e	*In vielen Ländern gibt es den Wunschbaum.*	
wünschen (sich)	Ich wünsche mir ein Haus am Meer.	
zahlreich	Jeder hat zahlreiche Wünsche.	

2

erfolgreich	Ich will beruflich erfolgreich sein.	
die Hauptsache (Sg.)	Hauptsache, die Arbeit macht Spaß.	
reich	Ich will unbedingt reich werden.	
das Segelboot, -e	*Ich will ein Segelboot haben.*	
der Sportwagen, -	*Ich will auch einen Sportwagen haben.*	

4

das Lotto, -s	*Spiel doch Lotto!*	

MODUL-PLUS AUSKLANG

1

der Chor, ¨-e	*Der Chor singt: Gloria, Viktoria …*	
der Chor-Text, -e	*Lesen Sie den Chor-Text.*	

der Dienst, -e	Doktor Eisenbarth hat seine Dienste angeboten.	
halt (Modalpartikel)	Schlafen Sie halt am Tag.	
der Hauptplatz, ⸚e	Als mobiler Arzt hat er auf dem Hauptplatz seine Dienste angeboten.	
der Helfer, -	*Er ist mit seinen Helfern von Ort zu Ort gefahren.*	
das Huhn, ⸚er	Hühner legen Eier.	
mobil	Doktor Eisenbarth war ein mobiler Arzt.	
na gut	Meine Arbeit stresst mich. – Na gut, dann arbeiten Sie nicht mehr.	
die Originalmelodie, -n	*Wir haben die Originalmelodie genommen, aber den Text neu geschrieben.*	
der Patient, -en	Die Therapien sind schlecht für die Patienten.	
per: per Telefon	Er gibt seine Ratschläge per Telefon.	
der Rat (Sg.)	Ich brauche Ihren Rat.	
recht (Modalpartikel)	Er hat seine Arbeit recht gut gemacht.	
sogar	Ein paar Patienten sterben sogar.	
sterben	Im Lied ist er kein guter Arzt: Seine Patienten sterben.	
stressen	*Meine Arbeit stresst mich sehr.*	

die Therapie, -n	*Hilft diese Therapie?*	
der Tod, -e	Nach seinem Tod haben Studenten ein Lied geschrieben.	

2

dichten	*Dichten Sie neue Strophen.*	

Der hatte doch keinen Bauch!

BILDLEXIKON

blond	Kerstin ist blond.	
dick	Walter hat einen Bauch, er ist ein bisschen dick.	
dünn	Models sind oft viel zu dünn.	
glatt	Ich habe glatte Haare, aber ich möchte lieber Locken.	
grau	Meine Großeltern haben graue Haare.	
hübsch	Deine Augen, deine Haare – du bist wirklich sehr hübsch!	

die Locke, -n	*Hanna hat braune Locken.*
schlank	Ich bin nicht dick! Ich bin schlank.

Bart

lange Haare

kurze Haare

glatte Haare

Locken

blonde Haare

braune Haare

schwarze Haare

graue Haare

dünn/schlank

dick

hübsch

hässlich

4

freundlich	Helga ist sehr freundlich.	
fröhlich	Nina lacht immer. Sie ist sehr fröhlich.	
komisch	Ich finde, Udo ist komisch.	
sympathisch	Angela ist sympathisch. Alle mögen sie.	
traurig	Du siehst heute so traurig aus. Was ist los?	
unfreundlich	Unser Hausmeister ist immer so unfreundlich.	
unglücklich	Die Frau sieht sehr unglücklich aus.	
uninteressant	Das Buch ist total uninteressant.	
unsympathisch	Mike ist unsympathisch. Er denkt nur an sich.	

TIPP

Machen Sie Wortbilder.

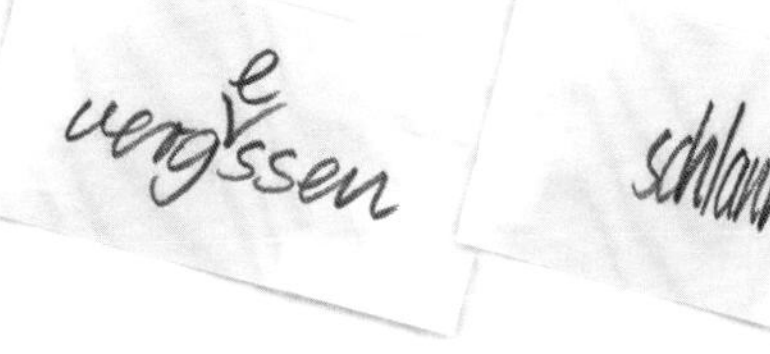

5

der Bürokaufmann, -leute	*Klaus war früher Bürokaufmann.*	
ledig	Simone ist ledig.	

der Musiker, -	Heute ist Klaus Musiker.
die Sekretärin, -nen	Sie hat früher als Sekretärin gearbeitet.
die Yoga-Lehrerin, -nen	*Heute arbeitet sie als Yoga-Lehrerin.*

6

beschweren (sich)	*Die Nachbarn haben sich beschwert. Es war zu laut.*
die Diskothek, -en	Ich habe früher in einer Diskothek gearbeitet.
erkennen	Erkennst du mich nicht? Ich bin es: Tim!
laut	Die Musik ist zu laut. Ich kann nicht schlafen.

7

die Bäckerei, -en	Mein Vater hatte eine Bäckerei.
die Hausfrau, -en	Meine Mutter war Hausfrau.
die (Lügen-)Geschichte, -n	Erzählen Sie eine (Lügen-)Geschichte.
die Sache, -n	Er hat eine Geschichte erzählt, aber eine Sache war falsch.

8

ach komm!	*Das war vor 8 Jahren. – Ach komm, da hatten wir schon keinen Kontakt mehr.*

ach was!	*Das ist Walter! – Ach was! Der hatte doch keinen Bart.*	
ach du liebe Zeit!	*Ach du liebe Zeit! Er ist es wirklich.*	
die Luxus-Disco, -s	*Mike hat diese Luxus-Disco in Grünwald gehört.*	
tausendmal	*Er hat sich tausendmal entschuldigt.*	
Wahnsinn!	*Sylvie will nicht mehr mit ihm zusammen sein. – Wahnsinn!*	

LERNZIELE

das Aussehen (Sg.)	*Beschreiben Sie das Aussehen.*	
der Bart, ¨-e	Er hatte doch keinen Bart!	
der Charakter, Charaktere	Beschreiben Sie eine Person. Wie ist ihr Charakter?	
echt?	*Es gibt die Disco nicht mehr. – Echt?*	
erstaunt	*A erzählt eine Geschichte. B und C reagieren erstaunt.*	
das Präteritum, Präterita	*Präteritum: war, hatte*	
der Smalltalk, -s	*Auf einer Party machen die Leute Smalltalk.*	

20 Komm sofort runter!

2

der Brief, -e	Line schreibt einen Brief.	
runter·kommen	*Line soll runterkommen.*	

3

das Tagebuch, ¨-er	Schreiben Sie Tagebuch?	

BILDLEXIKON

der Abfall, ¨-e	Wer bringt den Abfall raus?	
ab·trocknen	Trocknest du bitte ab?	
abwaschen	Wer wäscht heute ab?	
auf·hängen	*Häng bitte die Wäsche auf.*	
aus·räumen	*Räum die Spülmaschine aus. – Immer ich!*	
der Boden, ¨-	Jeden Abend wischt Ella den Boden in der Küche.	
bügeln	*Bei uns bügelt mein Mann.*	
das Geschirr (Sg.)	Ich wasche das Geschirr nicht selbst ab, ich habe eine Spülmaschine.	

raus·bringen	Bitte bring den Müll raus.
spülen	Geschirr spülen, nein danke! – Dann kauf doch eine Spülmaschine.
die Spülmaschine, -n	Ist die Spülmaschine schon fertig? Dann räum sie bitte aus.
staubsaugen	*Staubsaugen – das mache ich immer am Samstag.*
die Wäsche (Sg.)	Ich habe heute Wäsche gewaschen.
waschen	Vor dem Essen Hände waschen!
wischen	*Der Boden ist sehr schmutzig. Wisch ihn bitte.*

TIPP

Suchen Sie Wörter mit gleicher oder ähnlicher Bedeutung.

spülen – abwaschen

4

faul	Seid nicht so faul!	
die Hausaufgabe, -n	Vergiss deine Hausaufgaben nicht!	
die Mama, -s	*Keine andere Mutter ist so, nur Mama.*	
Mist!	*Ich soll das Bad putzen. Mist!*	
na los!	*Na los! Steht endlich auf.*	
nerven	*Mama nervt.*	
Oh nein!	*Oh nein! Was will sie denn jetzt schon wieder?*	
peinlich	Das war so peinlich!	

6

das Bewegungsspiel, -e	Wir spielen ein Bewegungsspiel im Kurs.	
formulieren	*Formulieren Sie Bitten.*	

7

der Anrufbeantworter, -	Auf dem Anrufbeantworter ist ein Anruf von Peter.	
auf (sein)	Meine Fenster sind alle auf.	
ihn	Ruf ihn bitte zurück.	
mich	*Kannst du mich abholen?*	

sauber	Ich habe das Bad geputzt. Jetzt ist es sauber.
schmutzig	Das Bad war sehr schmutzig.
die Wohngemeinschaft, -en	Studenten leben oft in einer Wohngemeinschaft.
zu·machen	Mach bitte die Fenster zu.
zurück·rufen	Du sollst Peter zurückrufen.

8

gegenseitig	*Korrigieren Sie gegenseitig Ihre Sätze.*

9

der Dreck (Sg.)	Ich hasse Unordnung und Dreck.
freiwillig	Du putzt freiwillig Bad und Küche.
gründlich	*Ich putze gern und gründlich.*
hassen	Ich hasse Bügeln.
der Mitbewohner, -	*Franzi sucht einen Mitbewohner für ihre WG.*
ordentlich	Ich bin ordentlich und räume jeden Tag auf.
supergünstig	Die Wohnung ist supergünstig.
die Terrasse, -n	Die Wohnung ist im Erdgeschoss und hat eine Terrasse.
die Traumwohnung, -en	Meine Traumwohnung hat einen Balkon.
die Unordnung (Sg.)	Ich finde Unordnung nicht so schlimm.

wahnsinnig	Ich koche wahnsinnig gern.	
das WG-Zimmer, -	*Das WG-Zimmer ist sehr günstig.*	
die Zimmergröße, -n	Zimmergröße: 20 m²	

LERNZIELE

die Aufforderung, -en	Bitten und Aufforderungen: Deck bitte den Tisch.	
decken	*Deck bitte den Tisch.*	
der Haushalt, -e	Line soll ihrer Mutter im Haushalt helfen.	
der Tagebucheintrag, ¨-e	*Sie macht einen Tagebucheintrag.*	

Bei Rot musst du stehen, bei Grün darfst du gehen.

2

der Autofahrer, -	Autofahrer bleiben bei Rot stehen.	
der Fahrradfahrer, -	Was machen Sie bei einer roten Ampel als Fahrradfahrer?	
der Fußgänger, -	Als Fußgänger gehe ich manchmal bei Rot über die Ampel.	

stehen bleiben	Ich bleibe bei Rot immer stehen.	
zu Fuß	*Ich gehe oft zu Fuß.*	

BILDLEXIKON

angeln	*Mein Mann angelt gern.*	
baden	Im Sommer baden wir im Meer.	
erlauben	Ist Grillen im Park erlaubt?	
der Hund, -e	In vielen Geschäften sind Hunde verboten.	
parken	Darf man hier parken?	
das Picknick, -e und -s	Am Sonntag machen wir ein Picknick.	
reiten	*Kannst du reiten?*	
zelten	Wir zelten im Urlaub. Das ist günstig.	

3

der Helm, -e	*Warum müssen Fahrradfahrer keinen Helm tragen?*	
leise	In der Bibliothek muss man leise sein.	
der Mofafahrer, -	*Mofafahrer müssen einen Helm tragen.*	
na schön	*Na schön, das kann man ja verstehen.*	
regeln	Muss man wirklich alles regeln?	

das Schild, -er	Sehen Sie die Schilder an.	
tragen	Er trägt einen Helm auf dem Kopf.	
die Vermutung, -en	War Ihre Vermutung richtig?	
die Wiese, -n	Warum darf man nicht auf die Wiese gehen?	

4

an·legen	*Autofahrer müssen einen Gurt anlegen.*	
der Gurt, -e	*Bitte leg den Gurt an.*	
hupen	In der Nähe von Krankenhäusern darf man nicht hupen.	
das Krankenhaus, ¨-er	Im Krankenhaus muss man leise sein.	
der Motorradfahrer, -	Der Motorradfahrer fährt zu schnell.	
der Straßenverkehr (Sg.)	Im Straßenverkehr gibt es Regeln.	

5

gefährlich	Bei Rot über die Ampel gehen – das kann gefährlich sein.	

TIPP

Schreiben Sie kleine Geschichten mit den Wörtern aus der Lektion.

Mein Bruder ist im Krankenhaus. Ein Hund ist in sein Fahrrad gelaufen. Das war wirklich gefährlich …

6

die Leine, -n	*Hunde bitte an die Leine nehmen!*	
schieben	Auf Parkwegen muss man das Fahrrad schieben.	
verbieten	Eis essen ist im Bus verboten.	

7

akzeptieren	Welche Regeln akzeptieren Sie?	
aus·denken (sich)	Denken Sie sich weitere Situationen aus.	
ehrlich	Mal ehrlich: Diese Regel ist doch gar nicht gut.	
der Hai, -e	*Ich bade nicht im Meer. Vielleicht gibt es ja Haie.*	
vermuten	Haben Sie richtig vermutet?	

8

ab·stimmen	Stimmen Sie ab: In welcher Stadt möchten Sie leben?	

LERNZIELE

dürfen	Bei Rot darfst du nicht gehen.	
die Meinung, -en	Sagen Sie Ihre Meinung.	
müssen	Du musst bei Rot stehen bleiben.	
die Regel, -n	Regeln, Regeln, Regeln – unser Leben ist voll mit Regeln.	
schlimm	Das finde ich nicht so schlimm.	

die Umwelt (Sg.)	Die Umwelt soll sauber bleiben! Werft Müll nicht auf die Straße.	
die Zeitungskolumne, -n	*Lesen Sie die Zeitungskolumne.*	

MODUL-PLUS LESEMAGAZIN

1

die Arbeit, -en	Ich komme gerade von der Arbeit.	
das Aufnahmegerät, -e	*Ich schalte mein Aufnahmegerät ein.*	
bloß	Junge, schlaf bloß nicht ein.	
dafür	Ich muss nur dreimal mitmachen, dafür bekomme ich auch noch Geld.	
der Dienstschluss (Sg.)	*Heute habe ich um 13 Uhr Dienstschluss.*	
die Dienststelle, -n	*In der Dienststelle muss man viel Schreibarbeit machen.*	
ein·checken	*Am Nachmittag checke ich auf dem Schiff ein.*	
ein·schalten	= anmachen. Ich schalte mein Aufnahmegerät ein.	
ein·schlafen	Ich bin so müde. Hoffentlich schlafe ich nicht ein.	

21

das Europäische Magier- und Illusionistentreffen, -	*Ich soll auf dem Europäischen Magier- und Illusionistentreffen meine neue Show vorstellen.*	
der Fahrgast, ⸚e	Die meisten Fahrgäste sehen am Morgen noch sehr müde aus.	
der Frühdienst, -e	*Mein Frühdienst beginnt um sechs Uhr.*	
halten: sauber halten	Man muss alles sauber halten.	
herrlich	Die Arbeit auf dem Schiff ist wie Urlaub. Herrlich!	
die Karibik	*Ich mache eine Fahrt in die Karibik.*	
kontrollieren	*Bei meiner Arbeit muss man alles genau kontrollieren.*	
der Krankenpfleger, -	Adem arbeitet als Krankenpfleger.	
der Künstlername, -n	*Der Künstlername von Markus Hirsch ist Argor Zafran.*	
legen	Adem muss die Patienten von einer Seite auf die andere legen.	
das Luxus-Schiff, -e	*Die „Lady Amanda" ist ein Luxus-Schiff.*	
das Messezentrum, -zentren	*Um acht Uhr muss ich im Messezentrum sein.*	
das Mikrofon, -e (das Mikro, -s)	*Ich hole das Mikro aus der Tasche.*	

der Nachtdienst, -e	*Der Nachtdienst beginnt um halb zehn Uhr abends.*	
der Nachtzug, ¨-e	Ich bin mit dem Nachtzug aus Rom gekommen.	
normalerweise	Normalerweise beginnt der Dienst erst um halb acht.	
der/die Operierte, -n	*Die frisch Operierten muss man besonders genau kontrollieren.*	
der Pflegebericht, -e	*Man muss Pflegeberichte schreiben.*	
der Polizeibeamte, -/die Polizeibeamtin, -nen	Marlies ist Polizeibeamtin.	
der Polizeiobermeister, -/die Polizeiobermeisterin, -nen	*Sie ist Polizeiobermeisterin.*	
ruhig	Es ist ruhig in der U-Bahn.	
die Schreibarbeit, -en	Als Polizistin hat man auch viel Schreibarbeit.	
selbstständig	Markus Hirsch ist selbstständig. Er arbeitet als Zauberer.	
die Show, -s	*Wie heißt die neue Show?*	
das Showprogramm, -e	*Ich mache dreimal im Showprogramm mit.*	
der Spätdienst, -e	Die Kollegen vom Spätdienst wollen nach Hause.	

der Stadtteil, -e	Marlies ist mit einem Kollegen im Stadtteil unterwegs.	
der Streifendienst, -e	*Im Streifendienst sind die Polizisten draußen.*	
der U-Bahn-Waggon, -s	*Am Morgen sind viele Fahrgäste im U-Bahn-Waggon.*	
um·ziehen: sich um·ziehen	Ich ziehe mich auf der Wache um.	
und so weiter	Man muss alles kontrollieren, alles sauber halten und so weiter.	
die Uniform, -en	Manche Kollegen kommen in Uniform zum Dienst.	
die Universitätsklinik, -en	*Adem arbeitet in der Universitätsklinik.*	
die Wache, -n	*Auf der Wache machen die Polizisten die Schreibarbeit.*	
der Zauberer, -	*Argor Zafran ist ein Zauberer.*	

MODUL-PLUS FILM-STATIONEN

2

die Generation, -en	Drei Generationen unter einem Dach – geht das gut?	
miteinander	*Wir leben gut miteinander.*	

3

an·lehnen	*Man darf hier kein Fahrrad anlehnen.*	
das Boot, -e	Boote sind hier verboten.	
das Grundstück, -e	Man darf abends nicht auf das Grundstück gehen.	
der Musikclip, -s	*Sehen Sie den Musikclip.*	
das Surfbrett, -er	*Boote und Surfbretter zu verkaufen*	

MODUL-PLUS PROJEKT LANDESKUNDE

1

der Animateur, -e	*DJ Ötzi hat als Animateur gearbeitet.*	
auf·wachsen (bei)	*Er ist bei seiner Großmutter aufgewachsen.*	
die Augenfarbe, -n	Seine Augenfarbe ist braun.	
bürgerlich: bürgerlicher Name	*Sein bürgerlicher Name ist Gerhard Friedle.*	
der Coversong, -s	*Sein Coversong „Hey Babe" war ein Erfolg.*	
der DJ, -s	*DJs arbeiten in Diskotheken, oder?*	
der Durchbruch, ¨-e	*Sein Durchbruch folgt im Jahr 2000.*	
entdecken	Man hat DJ Ötzi bei einem Karaoke-Wettbewerb entdeckt.	

der Entertainer, -	*Er ist Entertainer und Musiker.*	
färben	Seine Haare sind blond gefärbt.	
folgen	Zuerst ist DJ Ötzi in den deutschsprachigen Ländern bekannt, dann folgt der internationale Durchbruch.	
der Geburtsort, -e	Sein Geburtsort ist St. Johann in Tirol.	
die Haarfarbe, -n	Seine Haarfarbe ist blond, richtig?	
inzwischen	Inzwischen tragen auch viele Fans eine Mütze.	
der Karaoke-Wettbewerb, -e	*Der Karaoke-Wettbewerb war der Start für eine Karriere als Musiker.*	
der Koch, ⸚e	DJ Ötzi hat eine Ausbildung als Koch gemacht.	
die Körpergröße (Sg.)	Seine Körpergröße: 1,83 m	
der Musikmanager, -	*DJ Ötzis Frau ist die Musikmanagerin Sonja Kein.*	
das Porträt, -s	*Lesen Sie das Porträt.*	
der Raum: im deutschsprachigen Raum	Zuerst war er nur im deutschsprachigen Raum bekannt.	
der Schlagersänger, -	*Der Schlagersänger wächst bei seiner Großmutter auf.*	
selten	Nur selten sieht man ihn ohne Mütze.	

die Strickmütze, -n	*Man erkennt DJ Ötzi an seiner weißen Strickmütze.*	
(das) Tirol	*Tirol ist in Österreich.*	
der Urlauber-Animateur, -e	*Er ist als Urlauber-Animateur bekannt.*	
die Welt, -en: zur Welt kommen	2002 ist seine Tochter zur Welt gekommen.	
weltweit	Weltweit hat der Sänger über 16 Millionen CDs verkauft.	
zunächst	Zunächst macht er eine Ausbildung als Koch, dann arbeitet er als Animateur.	

2

hängen (an)	Alle hängen ihre Fotos an eine Wand.	

MODUL-PLUS AUSKLANG

1

ach nein!	*Ach nein, es tut mir leid, ich habe keine Zeit.*	
der Bitte-Danke-Walzer, -	*Wir tanzen den Bitte-Danke-Walzer.*	
frei: frei sein	Ist hier noch frei?	
die Freude: Freude machen	Machen Sie mir doch die Freude.	
gern geschehen	*Dankeschön. – Bitte. Gern geschehen.*	

der Ober, -	Herr Ober, wir möchten einen Tisch für zwei.	
Oh!	*Oh, ein Walzer! Wie schön!*	
der Platz: Nehmen Sie Platz	Bitte, nehmen Sie Platz.	
der Tanz, ¨-e	Schenken Sie mir diesen Tanz?	
verzeihen	Verzeihen Sie!	
vorbei	Dürfen wir bitte vorbei?	
der Walzer, -	*Können Sie Walzer tanzen?*	

Am besten sind seine Schuhe!

die Reaktion, -en	Wie findet Fabian die Reaktion seiner Mutter?	

BILDLEXIKON

die Bluse, -n	Was kaufst du nie? – Blusen! Ich bin doch keine Frau.	
der Gürtel, -	*Der Gürtel ist aus Leder.*	

der Hut, ¨-e	*Ich habe noch nie einen Hut gekauft.*	
die Jacke, -n	Meine Jacke ist braun.	
das Kleid, -er	Veras Kleid gefällt mir besser als Jasmins Kleid.	
der Mantel, ¨-	Dein Mantel gefällt mir.	
der Pullover, -	Wie gefällt dir der Pullover?	
der Rock, ¨-e	Ich kaufe oft Röcke. Ich liebe Röcke.	
die Socke, -n	Weiße Socken zu schwarzen Schuhen? – Schlimm.	
der Strumpf, ¨-e	Ein blauer und ein roter Strumpf. Wie lustig!	
die Strumpfhose, -n	Ich brauche eine Strumpfhose. Haben Sie Strumpfhosen?	

TIPP

Schneiden Sie Bilder aus und ergänzen Sie die Kleidung.

2

an·haben	*Meine Person hat eine Hose und einen Pullover an.*	
das Ratespiel, -e	*Ratespiel: Was hat die Person an?*	

3

beige	*Die Hose ist beige.*	
golden	*Seine Schuhe sind golden.*	
das Kostüm, -e	Toll! Ein super Kostüm hast du an.	
lila	*Ein lila Hemd? Nein, das mag ich nicht.*	
rosa	*Rosa ist meine Lieblingsfarbe.*	

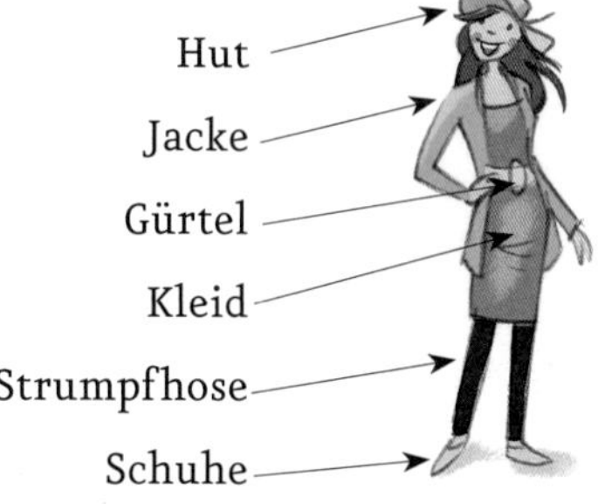

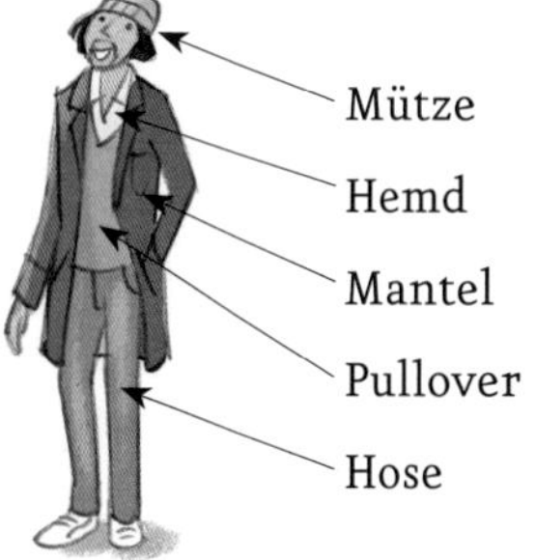

4

genauso … wie	*Elena mag Lila genauso gern wie Rosa.*	

5

das Forum, Foren	Lesen Sie die Texte im Forum.	
Klasse!	Klasse, Fred! Das Foto ist cool.	
klug	Marco ist klüger als alle anderen.	
das Lieblings-T-Shirt, -s	Ich habe nicht nur ein Lieblings-T-Shirt.	
schauen	Schau mal, dieses T-Shirt ist noch lustiger.	
tragen: einen Rock tragen	Trägst du oft Röcke und Kleider?	
ziemlich	Mein T-Shirt ist schon ziemlich alt.	

6

entwerfen	*Entwerfen Sie Ihr eigenes T-Shirt.*	

7

das Lieblings-Kleidungs-stück, -e	Beschreiben Sie Ihr Lieblings-Kleidungs-stück.	
an·ziehen (sich)	Wann hast du dein Lieblings-T-Shirt zuletzt angezogen?	
die Band, -s	*Ich höre die Band „Mondschein" gern.*	
das Kleidungsstück, -e	*Was gefällt dir an dem Kleidungsstück am besten?*	
zuletzt	Ich ziehe das T-Shirt oft an, zuletzt am Montag.	

8

die Betonung, -en	*Achten Sie auf die Betonung!*	
der Katalog, -e	*Sehen Sie in einen Katalog.*	
Seht mal!	*Seht mal, das Kleid ist richtig toll.*	
Wow!	*Wow, hast du das Kleid gesehen?*	
die Zeitschrift, -en	Lesen Sie gern Zeitschriften?	

LERNZIELE

der Forumsbeitrag, ¨-e	Lesen Sie die Forumsbeiträge.	
das Hemd, -en	Das Hemd gefällt ihr.	
die Hose, -n	Das Hemd gefällt ihr besser als die Hose.	
die Komparation, -en	*Komparation: gut, besser, am besten*	
der Schuh, -e	Am besten sind seine Schuhe!	
der Vergleich, -e	Vergleich: Die Hose gefällt ihr. Aber das Hemd gefällt ihr besser als die Hose.	
verstärken	*Aussagen verstärken: Total schön.*	

GRAMMATIK & KOMMUNIKATION

der Komparativ, -e	*Komparativ-Formen: besser, lieber …*	
der Positiv, -e	*Positiv-Formen: gut, gern …*	
der Superlativ, -e	*Superlativ-Formen: am besten, liebsten …*	

Ins Wasser gefallen?

1

die Laune, -n	Laura hat schlechte Laune.

2

gleich	Es geht mir gleich viel besser.
der Milchkaffee, -s	Im Café trinke ich immer Milchkaffee.

BILDLEXIKON

das Gewitter, -	Hast du Angst vor Gewitter?
das Grad, -e	Wie viel Grad sind es heute?
kühl	Es ist kühl, nur acht Grad.
minus	*Bei minus 20 Grad gehe ich nicht aus dem Haus.*
der Nebel, -	Gibt es in Hamburg viel Nebel?
der Schnee (Sg.)	Ich liebe Schnee und Skifahren.
warm	Es ist warm, denn es ist Sommer.
der Wind, -e	Fünf Tage lang kein bisschen Wind – und das am Meer.
die Wolke, -n	Am Himmel sind weiße Wolken zu sehen.

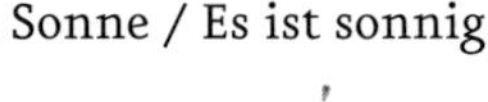

die Sonne / Es ist sonnig.

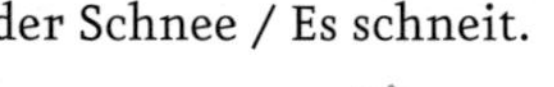

der Schnee / Es schneit.

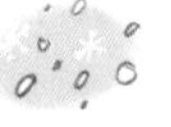

der Nebel / Es ist neblig.

der Regen / Es regnet.

der Wind / Es ist windig.

die Wolke / Es ist bewölkt.

das Gewitter / Es blitzt und donnert.

TIPP

Suchen Sie Wortfamilien.

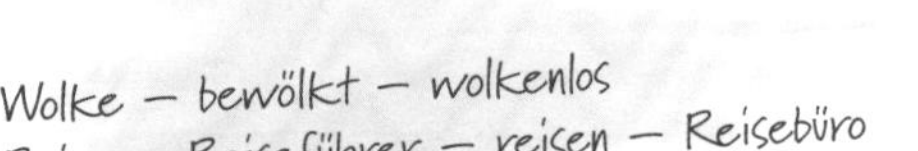
Wolke – bewölkt – wolkenlos
Reise – Reiseführer – reisen – Reisebüro

3

blitzen	Bei Gewitter blitzt es.	
donnern	Es donnert.	
neblig	Es ist neblig.	
schneien	Im Winter schneit es in den Bergen.	

sonnig	Es ist sonnig.	
windig	*Es ist windig.*	

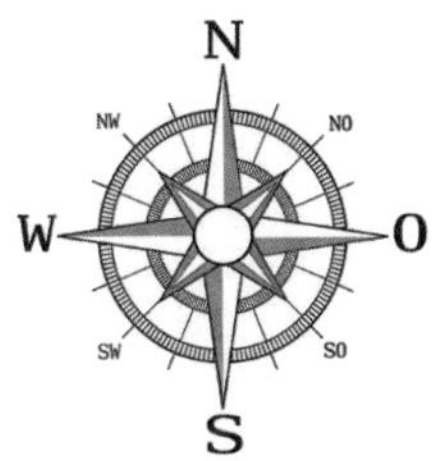

der Norden, der Westen, der Süden, der Osten

4

auf·wachen	Letzten Sonntag bin ich um sechs Uhr aufgewacht.	
bis zu	*Es kann bis zu zwei Grad werden.*	
brauchbar	*Wir hatten einen Reiseführer mit brauchbaren Tipps dabei.*	
der Campingstuhl, ⸚e	Bis zum späten Nachmittag haben wir auf unseren Campingstühlen gesessen.	
dabei·haben	Hast du eine Regenjacke dabei? Es regnet.	
das Dach, ⸚er	Unsere Zimmer waren ganz oben, direkt unter dem Dach.	
ein paar	*Leider waren wir nur ein paar Stunden in der Wohnung.*	

erleben	Hast du so etwas schon einmal erlebt?	
farblos	*Alles war grau und farblos.*	
die Ferienwohnung, -en	Die Ferienwohnung war toll.	
das Frühjahr, -e	= Frühling	
furchtbar	Das Unwetter war furchtbar.	
genug	Da sind wir wohl nicht weit genug in den Süden gefahren.	
die Geschwindigkeit, -en	Der Sturm hatte bis zu 160 km/h Geschwindigkeit.	
hart	Der Winter war lang und hart.	
das Hausdach, ¨-er	Das Hausdach war nach dem Sturm kaputt.	
der Himmel, -	Der Himmel ist blau, das Wetter ist gut.	
km/h (Stundenkilometer)	*Wie schnell fährt dein Auto? – 200 km/h.*	
der Kurzurlaub, -e	Es war nur ein Kurzurlaub, aber es war wunderbar.	
mit·machen	Mach mit und schick mir deinen Text.	
das Mittelmeer	*Nächstes Jahr fahren wir ans Mittelmeer.*	
der Neuschnee (Sg.)	*Heute Nacht hat es geschneit: 10 cm Neuschnee.*	
der Norden (Sg.)	Fahren Sie Richtung Norden.	
öffnen	Ich öffne die Tür und sehe: Es hat geschneit.	

der Osten (Sg.)	Wir wohnen im Osten von Berlin.
die Ostsee	*Letztes Jahr sind wir an die Ostsee gefahren.*
das Pech	Wir hatten leider Pech: nur Regen und Nebel.
der Problemurlaub, -e	In diesem Blog sammle ich Texte über Problemurlaube.
der Problemurlaubs-Blog, -s	*Sandra hat einen Problemurlaubs-Blog.*
der Reiseführer, -	In diesem Reiseführer sind gute Tipps.
scheinen	Die Sonne scheint.
der Schwarzwald	*Wo liegt der Schwarzwald?*
sitzen	Das Wetter ist herrlich, wir sitzen den ganzen Tag in der Sonne.
der Sommerurlaub, -e	Unser Sommerurlaub war perfekt.
der Sturm, ¨-e	Ein Sturm kann gefährlich sein.
der Süden (Sg.)	Wir fahren in den Süden.
(das) Südtirol	*Südtirol liegt in Italien.*
der Super-Badestrand, ¨-e	*Urlaubsfotos vom Super-Badestrand möchten wir nicht sehen.*
die Temperatur, -en	Wir hatten einen Traumurlaub bei Temperaturen zwischen 18 und 22 Grad.
Tja!	*Tja, da müssen wir nächstes Mal besser in den Süden fahren.*

23

der Traum, ¨-e — Unser Urlaub ist ein Traum!
das Traumwetter (Sg.) — Wir hatten Traumwetter.
unglaublich — *Der Urlaub war unglaublich.*
das Unwetter, - — *Dann ist das Unwetter gekommen.*
das Urlaubsfoto, -s — Schick mir doch ein paar Urlaubsfotos.
der Westen (Sg.) — Im Westen sind es 20 Grad.
das Wohnmobil, -e — *Wir sind mit dem Wohnmobil nach Südtirol gefahren.*
wolkenlos — Der Himmel ist wolkenlos.
wunderbar — Alles war wunderbar: das Wetter, das Essen, die Leute.
das Ziel, -e — Unser Ziel war Südtirol.

5

begründen — = einen Grund angeben
der Kinofilm, -e — Malte liebt Kinofilme.
die Spalte, -n — *Ergänzen Sie Ihre Spalte.*

6

das Lieblingswetter, - — Mein Lieblingswetter? Nicht zu warm, ein bisschen Wind und Sonne.

die Melodie, Melodien	*Welche Melodie gefällt Ihnen am besten?*
der Rhythmus, Rhythmen	*Bei diesem Rhythmus denke ich an mein Lieblingswetter.*
die Wetterassoziation, -en	*Hören Sie. Welche Wetterassoziationen haben Sie?*

7

bis bald	Tschüs, bis bald!
groß·schreiben	Haben Sie alle Nomen großgeschrieben?
(das) Kreta	*Wir sind gerade auf Kreta.*
das Leben, -	So ist das Leben wunderbar.

LERNZIELE

an·geben	Warum können Sie nicht kommen? Geben Sie einen Grund an.
bewölkt	*Es ist bewölkt.*
denn (Konjunktion)	Gründe kann man mit **denn** angeben.
der Grund, ¨-e	Was ist der Grund für deine schlechte Laune?
die Himmelsrichtung, -en	Die Kinder laufen in alle Himmelsrichtungen.
die Konjunktion, -en	*denn ist eine Konjunktion.*

Ich würde am liebsten jeden Tag feiern.

24

1

bestehen	Isabella hat die Prüfung bestanden.
die Überraschungsparty, -s	*Wir machen eine Überraschungsparty für Isabella.*

BILDLEXIKON

die Einweihungsparty, -s	*Die Einweihungsparty ist in zwei Wochen.*
das Ostern, -	Was macht ihr Ostern?
das Weihnachten, -	Weiße Weihnachten – ein Traum!

FESTE

Weihnachten

Silvester/Neujahr

Hochzeit

Karneval

Ostern

Geburtstag

Einweihungsparty

Prüfung bestanden

2

abends	Hast du am 4. Mai abends Zeit?	
die Abschlussprüfung, -en	*Hast du die Abschlussprüfung schon gemacht?*	
boah!	*30 Jahre? Boah!*	
entspannen (sich)	*Du musst dich mehr entspannen.*	
die Fitness (Sg.)	Du musst mehr für die Fitness tun.	
das Fitnessstudio, -s	Kommst du mit ins Fitnessstudio?	
das Getränk, -e	Wer bringt Getränke mit?	
der Gutschein, -e	*Ich habe zum Geburtstag einen Gutschein für das Fitnessstudio bekommen.*	
die Hantel, -n	*Im Fitnesskurs benutzen wir Hanteln.*	
die Hauseinweihungsparty, -s	*Wir machen eine Hauseinweihungsparty.*	
der Heilige Abend (Sg.)	*Der Heilige Abend ist am 24. Dezember.*	
hoffentlich	Hoffentlich kannst du zur Party kommen.	
der Kinogutschein, -e	*Wir schenken ihm einen Kinogutschein.*	
der Papa, -s	*Was schenken wir Papa?*	
zufrieden	Wir sind glücklich und zufrieden mit dem Haus.	

TIPP

Notieren Sie wichtige Termine auf Deutsch.

12.04. 70. Geburtstag Opa
25.07. Felix zieht um
22.12. Weihnachtsfeier in der Firma

3

das Lieblingsfest, -e	Was ist dein Lieblingsfest?

4

die CD, -s	Konzerte sind immer besser als CDs.
der Glückwunsch, ⸚e	Welches Fest passt zu den Glückwünschen?
das Konzertticket, -s	Ich bekomme am liebsten Konzerttickets.

7

der /die Bekannte, -n	Wir feiern Silvester mit Bekannten.
draußen	Das Wetter ist schön. Wir können draußen feiern.
das Feuerwerk, -e	*Ich mag Feuerwerke nicht.*

der Sekt, -e	*Ich darf keinen Sekt trinken, ich muss noch Auto fahren.*	
der/die Verwandte, -n	Alle Verwandten und Freunde sind zur Einweihungsparty gekommen.	

GRAMMATIK & KOMMUNIKATION

das Datum, Daten	Welches Datum ist morgen?	

LERNZIELE

Herzlichen Glückwunsch	Herzlichen Glückwunsch zum Geburtstag.	
der Konjunktiv II, -e	*Konjunktiv II: Das würde ich am liebsten jeden Tag machen.*	
die Ordinalzahl, -en	*Was sind Ordinalzahlen? – Der erste, zweite …*	

MODUL-PLUS LESEMAGAZIN

1

befürchten	*Der Klimawandel ist stärker als wir befürchtet haben.*	
die Chefsekretärin, -nen	Sonja Zimmerer arbeitet als Chefsekretärin.	
die Daten (Pl.)	Es gibt viele Daten über den Klimawandel.	
das Diagramm, -e	*Das Diagramm zeigt einen Zeitraum von 125 Jahren.*	

die Eiszeit (Sg.)	*Wann war die Eiszeit?*	
heiß	Es war mal heißer und mal kälter.	
jedenfalls	Ich habe jedenfalls keine Angst vor dem Klimawandel.	
das Klima (Sg.)	Viele machen sich Sorgen um das Klima.	
die Klimaveränderung, -en	*Die Klimaveränderung ist eine Tatsache.*	
der Klimawandel (Sg.)	*Der Klimawandel kommt sehr schnell.*	
der Planet, -en	*Das Klima auf unserem Planeten verändert sich.*	
die Politik (Sg.)	Es geht hier um Politik und Geld.	
die Politikwissenschaft, -en	Arwed studiert Politikwissenschaften.	
regnen	Früher hat es mehr geregnet.	
die Sorge, -n: sich Sorgen machen	Die meisten Menschen machen sich Sorgen ums Klima.	
das Speditionsunternehmen, -	*Was macht ein Speditionsunternehmen?*	
die Tatsache, -n	Das ist eine Tatsache!	
unterschiedlich	Unterschiedliche Temperaturen sind normal.	
verändern	Wir müssen unser Leben verändern.	
vergangen	*Wir dürfen nicht weiterleben wie in den vergangenen Jahren.*	

weiter·leben	Wir können so weiterleben wie immer.	
wenig	Ein Diagramm sagt wenig, findet Sonja.	
die Wissenschaft, -en	Es geht beim Klimawandel nicht um Wissenschaft.	
der Zeitraum, ⸚e	*In dem Diagramm geht es um den Zeitraum von 1890 bis 2005.*	
der Zufall, ⸚e	Das kann doch kein Zufall sein!	

MODUL-PLUS FILM-STATIONEN

1

die Modenschau, -en	*Sehen Sie die Modenschau.*	
passen	Das Kleid passt zu dir.	

2

der Aussichtsturm, ⸚e	Auf dem Aussichtsturm hat man einen schönen Blick auf Bern.	
die Sicht (Sg.)	*Die Sicht ist schlecht, denn es ist neblig.*	

3

der Autoscooter, -	*Ich will Autoscooter fahren.*	
gucken	Guck mal, da sind Autoscooter.	

der Jahrmarkt, ¨-e	*Die Auer Dult ist ein bekannter Jahrmarkt.*	
schießen	*Schießt du auf dem Jahrmarkt eine Blume für mich?*	

MODUL-PLUS PROJEKT LANDESKUNDE

1

auf·stellen	*Im Sommer stellen wir im Garten die Liegestühle auf.*	
der Badeanzug, ¨-e	Zur Strandparty kommen alle im Badeanzug.	
die Badehose, -n	Männer tragen eine Badehose.	
bestimmt-	Wir wollen eine Party zu einem bestimmten Thema feiern.	
der Bikini, -s	Der Bikini ist sehr schön.	
die Dekoration, -en	Luftballons sind wichtig für die Dekoration.	
dekorieren	Wir dekorieren den Raum mit Sand.	
exotisch	*Essen und Getränke sollten exotisch sein.*	
das Fischbuffet, -s	Ein Fischbuffet kostet nicht viel.	
die Flaschenpost (Sg.)	Wir haben im Urlaub eine Flaschenpost geschickt.	

der Fruchtcocktail, -s	*Möchtest du einen Fruchtcocktail?*
jedem	Fruchtcocktails schmecken jedem.
der Liegestuhl, ⸚e	*Im Urlaub liegt Mama nur im Liegestuhl.*
das Luftballon-Darts (Sg.)	*Ein Luftballon-Darts ist das perfekte Spiel für Strand-Partys.*
das Motto, -s	*Wählen Sie ein Motto für Ihre Party.*
die Motto-Party, -s	*Eine Motto-Party ist eine Party zu einem bestimmten Thema.*
der Party-Raum, ⸚e	Wer dekoriert den Party-Raum?
das Planschbecken, -	*Ein Planschbecken darf an heißen Tagen nicht fehlen.*
das Programm, -e	Was wäre eine Party ohne Programm?
der Raum, ⸚e	Wie sieht der Raum aus?
der Sand, -e	Am Strand gibt es viel Sand.
sorgen (für)	Wer sorgt für die Getränke?
der Spielvorschlag, ⸚e	Hast du einen Spielvorschlag für die Party?
die Stimmung, -en	Salsa-Musik sorgt für eine tolle Stimmung.
die Strand-Motto-Party, -s	*Auf einer Strand-Motto-Party passen Bikini und Badehose am besten.*
die Strand-Party, -s	Wir feiern eine Strand-Party.

der Themenvorschlag, ¨-e	Auf dieser Seite findet ihr viele Themenvorschläge.	
der Toast Hawaii	*Hast du schon einmal Toast Hawaii gegessen?*	
der Umschlag, ¨-e	*Wir stecken den Brief in den Umschlag.*	
vorbei·bringen	*Ich bringe dir die Einladung dann vorbei.*	

2

die 20er-Jahre-Party, -s	*Wir möchten eine 20er-Jahre-Party feiern.*	

MODUL-PLUS AUSKLANG

1

der Chauffeur, -e	Sie hat drei Autos und sogar einen Chauffeur.	
die Fantasie, Fantasien	Hast du denn wirklich keine Fantasie?	
das Luxushaus, ¨-er	*Sue wohnt in einem Luxushaus.*	
der Schmuck (Sg.)	Sie hat sehr teuren Schmuck.	

Meine Wörter

Meine Wörter

Meine Wörter

Meine Wörter